フランス・バカロレア式

書く！哲学入門

Introduction à la philosophie : Ecrivons !
à la manière du baccalauréat français

曽我千亜紀
SOGA Chiaki

松井貴英
MATSUI Takahide

三浦隆宏
MIURA Takahiro

吉田 寛
YOSHIDA Hiroshi

ナカニシヤ出版

は じ め に

フランス流の哲学小論文（dissertation ディセルタシオン）について

　フランスでは高校３年生になると哲学が必修の授業としてあります。そして高校卒業資格を取得するためにはバカロレア（baccalauréat）という国家試験を受けなければなりません。バカロレアで実施される哲学の試験において，高校生たちは４時間かけて論述式の問題に答えていきます。高３で４時間の論述と聞くと，マークシートや選択式の試験に慣れた私たちはひるんでしまいますね。けれども，そこにはきちんとした従うべき論述の「方法論」があります。その「方法論」をこれからこのテキストで学んでいきたいと思います。

　哲学小論文とは何でしょうか。それは，感想を書くことでも，個人的な見解を漠然と書くことでもありません。明確なルールがあり，従うべき形式があるのです。論述は，ある問いに対して，論理構成のしっかりした答えを展開することをその目的としています。だからこそ，段階を追って自分の考えを深めていく必要があります。この段階の踏み方を一つずつ伝授していくことがこのテキストの目指すところです。

　もちろん，日本とフランスでは，言語や文化の相違があります。フランス流の論述をそのまま当てはめることが難しい部分もあります。そのような違いを承知しながらも，日本で学び，日本語で考えることに慣れたみなさんが筋の通った説得的な文章を書けるようになるために，フランス式論述の方法論を学んでみることは大いに有効であると私たちは考えています。なぜなら，闇雲に文章を書こうとしても書き方を学んだことのない人，文章を書くことが苦手な人にとっては，それはとても難しいことだからです。最初は型に従っておいた方が書き出しやすいですし，お手本としての型を会得することで，曲がりなりにも体裁の整ったレポートや論文が書けるようになるでしょう。

　では，「型」を身につけさえすれば，レポートや論文をすらすらと書けるようになるのでしょうか。残念ながら事はそれほど簡単ではありません。遠回りに思えるかもしれませんが，きちんとした論述をするためには，まずはしっかりとした読解力を養う必要があります。哲学の世界でも他の分野と同じように，様々な解釈が存在し，議論が紛糾することはよくあります。むしろ，一つのテーマや問いに対して，一つの解答が存在し，哲学者全員の意見が合致することなどまずありえないと言っていいでしょう。それにもかかわらず，読解とは決して「何でもあり」ではないのです。本文で取り上げられている哲学のテキストは，なかなか読み応えがあり，ときには難しく思えるかもしれません。でも一つ一つの言葉や文章，文脈を追っていき，読解のヒントとなる問いを考えることによって，最初はよくわからなかったテキストが少しずつ明確になっていくことでしょう。みなさんが独自の解釈を始めるのは，じっくりとテキストを読み，その意味するところをテキストに沿って理解してからなのです。

　そして，丁寧にテキストを読むことが，実は論理的な文章を書くことにつながります。哲学者の主張を簡潔にまとめたり，他の言葉で言い換えたりすることは，読解が甘ければできません。また，どのような順序で自分の解釈や主張を組み立てて表現していくのか，あらかじめじっくりと考えたうえでなければ書くことができません。このテキストではその手順を丁寧に追っていきたいと思います。

このような方法に従い，手順を踏むことによって，思考が始まることにみなさんは気づくことでしょう。考えることは誰にもできそうですが，手がかりや方法を持たないで思考することは実際かなり難しいことです。思考にもまずは従うべき型があるわけです。それがフランス式小論文の議論の組み立て方と密接につながっているのです。

　もちろん，フランス流の論述方法が唯一，絶対的に正しいわけではありません。フランス人の中にもフランス式の論述を批判する人もいます。「型にはまり過ぎていて創造性がない」とか「型に当てはめさえすればどんなばかげた考えもそれなりに説得力を持ってしまい危険だ」といった指摘もあります。たしかにそのような意見にも一理あるでしょう。けれども，まず型にはまってみなければ，その型を批判する資格はありません。この型を学ぶことはみなさんにとって（たとえ最終的にこの型を脱け出すことを目指すことになるとしても），論理的な文章を読み，理解し，書き，表現する基本的な力を身につけるために役立つことでしょう。それは，ただ単に哲学の授業の中のことだけではなく，他の分野のレポートや卒業論文の執筆，ひいては社会に出てから自分の考えを他の人々に伝える場面においても必要となる力なのです。

　このテキストが，みなさんが自ら解釈し，思考し，表現するための導きの糸となれば幸いです。

執筆者を代表して

曽我千亜紀

目　　次

論述のコツ　目次

コラム　目次

《このテキストの構成と使い方》

　本書は全部で 16 章に分かれています。どの章から読んでも理解できる内容とはなっていますが，最初の 4 章は 4 人の哲学者に光を当て，彼らの文章を少しずつ読解していく内容となっていますので，初めて哲学者の文章に触れる場合は冒頭の 4 章から始めることをおすすめします。

　第 5 章以降はテーマに沿って，二人の哲学者の考えを対比する形で構成されています。興味のあるテーマから取り組んでみてください。各章は独立していますので，どのテーマから始めても理解できるようになっています。

　各章のテーマはフランスの哲学教育におけるテーマに準じています。テーマはフランスの哲学プログラムで設定された領域や概念の名前（詳しくは *ix* ページの「バカロレアの仕組み」を参考にしてください）と問いの形で表現されています。問いは哲学試験の問題と似たものとなるように設定しました。

　各章は以下の項目からなっています。

「第 1 論考」「第 2 論考」

　一人あるいは二人の哲学者のテキストの引用や引用を含むテキストの紹介からなっています。第 5 章以降はテーマで設定した問いについて，対立する二つの考えが表現された引用を選ぶように努めました。それぞれ読解のヒントとなる問いが設定されていますので，参考にしてみてください。

「論述のコツ」「書いてみよう」「コラム」

　「論述のコツ」はフランス流小論文の方法論を解説してあります。小論文の書き方をマスターしたい方は，この部分だけを取り上げて読み進めることも可能です。このコツを踏まえて「書いてみよう」のコーナーで実際に文章を綴ってみることをおすすめします。「コラム」は各章のテーマにまつわる執筆者からの雑学的な話題紹介です。

「キーワード解説」「著者紹介」「読書案内」

　「キーワード解説」は各章の内容を理解するための手がかりとしてください。文中で＊を付した語句が，その章のキーワードとなっています。「著者紹介」と「読書案内」は，哲学者についてさらに知りたい人，自分なりに他の文献にあたってみたい人に向けて書きました。参考にしてください。

●教員の方へ

　哲学史の基礎知識や問いの背景などの説明は十分ではありません。講義の目的に応じて補足してください。また，大人数の講義ではなかなか添削の時間を割くことは難しいことと思います。けれども，何らかの文章を学生たちに書かせた場合はできる限りフィードバックしてください。相互添削や半期に 1〜2 回の提出を義務づけるだけでも効果が上がるかと思います。

●学生の方へ

　授業の教科書としても，文章を書くための参考書としても使えるようなテキストにしました。

本書を読んで哲学に興味を持った場合，哲学の専門ではない方にも基礎的な知識や文献に触れられる道をひらいてあります。また，哲学を学ぶというよりも，論文やレポートの書き方の指南本として使う場合，「論述のコツ」を読み込んで，そのコツを活かした形で実際に文章を書いてみてください。

● 独学する方へ

　フランス流の方法論に興味を持って本書を手に取られた方もあるかもしれません。独学ですとなかなか添削してもらう機会がないでしょうが，本書で紹介したコツを念頭に置くだけで，文章がかなり変わってくることと思います。「論述のコツ」のみを拾い出して読めるようにもなっています。その際，「バカロレアあれこれ〜フランス人への質問状〜」も参考にしてください。日本式の論述との違いなどにも触れられています。

《バカロレアの仕組み》

　ここでは簡単にバカロレアの仕組みについて説明します。

　バカロレアとは，フランスにおける中等教育終了資格試験(高校卒業の資格)のことであり，大学入学資格試験と位置づけられることもあります。フランス全土で一斉に行なわれ，国語(つまりフランス語)，歴史・地理，哲学などマークシートや穴埋めではなく，論述の試験が課されます。

　バカロレアには，普通バカロレア，技術バカロレア，職業バカロレアというカテゴリがありますが，哲学は普通バカロレアと技術バカロレアで実施されています。普通バカロレアはさらに，S(理科系)，ES(経済社会系)，L(文科系)の三つに分かれています。

　哲学は，高校3年生が必修として学ぶ科目であり，このバカロレアの一科目でもあります。それぞれ3問課される問題から1問を選択して論述します。3問のうち1問は，哲学者のテキストが引用され，その解説が求められます。3問中2問は小論文であり，これが本書で参考にする哲学小論文(ディセルタシオン)に相当します。具体的な過去の問題は105−106ページを参考にしてください。

　バカロレアの哲学の試験時間は4時間で，20点満点で採点されます。

　フランスで定められている哲学プログラムは以下の表のような領域と概念から成っています。†1
本書ではここからいくつかの概念を取り上げて，関連する哲学者の文章を紹介しています。

哲学プログラムで定められている概念(notion)

領域	概念
主体	意識
	知覚
	無意識
	他者
	欲望
	存在と時間
文化	言語
	芸術
	労働と技術
	宗教
	歴史

---

†1　フランス国民教育省によれば，2020年より，この領域と概念がもう少し簡略化される。普通バカロレアでは17個の概念に，技術バカロレアでは7個の概念に絞られる。https://eduscol.education.fr/cid144166/philosophie-bac-2021.html(2019年12月25日取得)

	理論と経験
	証明
	解釈
理性と現実	生物
	物質と精神
	真理
	社会
政治	社会と交換
	正義と法
	国家
	自由
道徳	義務
	幸福

　以上，駆け足でバカロレアについて概観しましたが，坂本尚志『バカロレア幸福論——フランスの高校生に学ぶ哲学的思考のレッスン』(星海社新書，2018 年)には，バカロレアの概要がさらに詳しく説明されています。興味を持った人はこちらを読んでみてください。また，中島さおり『哲学する子どもたち——バカロレアの国フランスの教育事情』(河出書房新社，2016 年)では，実際にバカロレアを受験した自分の子どもたちの体験談を交えて，フランスの公教育の様子が語られています。受験する側の視点を知りたい人は，こちらも読んでみてください。

フランス・バカロレア式
書く！ 哲学入門

1 プラトン
定義をするとはどのようなことだろうか？

　古代ギリシア哲学においてのみならず，西洋哲学の歴史における知の大巨人であるプラトンは，哲学問答を実践していた師ソクラテスの影響により，自身の著作において対話篇の形式を採用した。ここでは，その中から定義の探究の一例を見ていこう。

第 1 論考 ………………………………………………………………徳とは何であるか：説明の試み

ソクラテス「〔…〕神に誓って，メノンよ，徳とは何であると君は言うのかね？〔…〕」
メノン「いや，ソクラテス，それを言うことは難しいことではありません。最初に，もしあなたが男性の徳についてお望みであるなら，それを言うことは容易なこと，男性の徳とは，国事を十分になし，そして友人に対してはよく計らい，敵に対しては悪しき計らいをし，自身においてはそのようなことを被ることがないよう注意を払うことです。もしあなたが女性の徳についてお望みであるなら，それについても難しいことではありません，それは家のことをよくなすこと，家をよく保ち家にいて夫に従うことです。そしてその他に子どもの徳があり，そして女の子の徳と男の子の徳があり，そして年配の人の徳があり〔…〕つまり，それぞれの働きと年齢に応じて，それぞれがなすべき仕事のために，われわれすべての人にそれぞれに適った徳があるのです。そして，ソクラテス，悪徳についても同様だと思われます。」
ソクラテス「私はたいそう運がいいようだ，メノン，徳は一つのものだろうとして探究していたら，徳がミツバチのように君の所にあるのを見つけたのだから。〔…〕」

〔…〕

ソクラテス「同じことが多くの徳についても言えるのだ。もし徳は多くありそして幾種類もあるとしても，それらすべては一つの同じ実相を有しており，それがあるがゆえにそれらは徳であるのだ。徳が何であるかを明らかにするための問いがなされたなら，それに注目することが正しいことであろう。〔…〕」
(Plato, *Meno*, 71d–72a, 72c, プラトン『メノン』)

問い
1. 徳を定義するならば，どのようなものになるだろうか。

┌───┐
│   │
│   │
│   │
│   │
└───┘

2. 徳を定義することは，そもそも可能だろうか。

┌───┐
│   │
│   │
│   │
│   │
└───┘

　続いて，『メノン』と同時期に執筆されたとされる『ゴルギアス』での弁論術を定義する試みの冒頭を読んでみよう。ソクラテスが様々な技術を説明し，それらと同じように弁論術を説明するよう，弁論術の大家であるゴルギアスに求める場面である。

第2論考 ……………………………………弁論術とは何であるか：説明の試み

　ソクラテス「弁論術が，その多くを言論（ロゴス）が占める技術の一つであるとしても，そのような技術は他にもあるのだから，弁論術が言論の中の何について権威であるのかについて，述べてもらわねばならないのだ。

　たとえばある人が，今私が挙げたことの中から一つ尋ねたとしよう，「ソクラテスよ，数に関する技術とは何か？」と。私はその人に向かって，あなたに答えたように，言論を通じてことをなす技術の一つであると答えるだろう。そしてもし彼が続けて尋ねるとしたらどうだろうか。「それはどのようなことについてのものか？」と。すると私はこのように答えるだろう「それは偶数と奇数についてのものだ，それらがどのような数であるかによらず」と。

　次に彼がこのように尋ねたとしよう，「あなたが計算の技術と呼ぶものは何か？」と。すると私は先ほどと同じく，言論を通じてすべてのことをなす技術の一つであると答えるだろう。「それはどのようなことについてのものか？」と彼が尋ねたとしたら，私は民会において法案を起草する人のように，このように答えるだろう。他のことについては数に関する技術は計算の技術と同じである，偶数と奇数という同じものを対象とするのだから。異なるのは，奇数と偶数が，同じものどうしそして異なるものどうしで，どのような数量的関係にあるのかを調べるものであると。〔…〕と言うだろう。」

　ゴルギアス「君は正しく答えているよ，ソクラテス。」

　ソクラテス「では，次はあなたの番だ，ゴルギアス。弁論術とは，すべてのことを言論によりなしとげ，効果をあげるものであるということでよいのかね？」

　ゴルギアス「そのとおりだよ。」

　ソクラテス「では，それは何についてであるのかを述べてもらえるかね？　弁論術が扱う言論が，どのようなものであるのかについて，それはいったい何なのだろうか？」

　ゴルギアス「人間にとって，最も素晴らしいものだよ，ソクラテス。そして最高のものだ。」

（Plato, Gorgias, 451a–d, プラトン『ゴルギアス』）

問い

1. この引用に先立ち，『ゴルギアス』冒頭で，ソクラテスが「たとえばだね，彼が，仮に履物をつくるのを仕事としているとしたら，きっと，自分は靴作りであると，こう君に答えてくれるだろう。ぼくの言う意味が，わからないかね？」（447d）と述べていることも踏まえつつ，弁論術が「最高にして最善なるもの」を扱う技術であるとすると，弁論家とは，いったいどのような者たちであると言えるだろうか。

2. 「最高にして最善なもの」とは，いったいどのようなものだろうか。

論述のコツ①　感想文と論述の違い

　子どものころ，夏休みの宿題の読書感想文に苦労した人もいるでしょう。「感想って，どうやって書いたらいいんだ⁉」とばかりに。それでも，高校を卒業するころには，たとえそのような人でも，曲がりなりにも感想文を書くことができるようになったのではないでしょうか。

　そのような人が大学に入学し，課題やレポートや小テストや定期試験で，今度は「単に感想を書くだけでは駄目だ！　意見を書け！　主張をせよ！　論述をせよ！」と言われ，「これまで教えられてきたことって，一体全体何だったんだ……。」と嘆き，打ちひしがれ，いわゆるひとつの「orz」状態になっている人もいるかもしれません。

　重要なのは，レポートや論文は**「感想」でなく客観的事実を報告したうえで「意見・解釈」を述べるもの**であるということです。

　極端なことを言えば，感想は，思ったことを述べることができればよいものです。たとえば「TWEEDEES はいい。沖井礼二すごい。清浦夏実かわいい」というようなものでしょう。これはこれで感想としては成立するかもしれませんが，「いい」「すごい」「かわいい」と述べているだけですので，大学のレポートには値しません。「私」を主語とした個人的な気持ちや感想は論述ではないからです。

　論述というのは，単に感想を書くこととは異なります。筋道のある文章であり，かつ意見や解釈を述べた文章なのです。一例を挙げるなら，「TWEEDEES が提供する楽曲は，90 年代以降の音楽シーンを再解釈した味わい深さのある極上のポップスである。特に，沖井礼二の面目躍如たるメジャー 7th を多用した進行と独特のリズム感，そしてボーカルの清浦夏実の透明感と独特の愛嬌のある声が，彼らの至極のポップ感の源泉であるように思われる。それゆえ，彼らの音楽は，日本のポップミュージックの新しい里程標になるだろう」のように，事実を適切に述べ，その事実をもとに推論しつつ解釈をしつつ，うまく結論づけていくことが必要です。逆に言えば，レポートや論文の仕組みを理解し，書き方をマスターしてしまえば，それなりの文章ができあがります。この教科書を使って従うべきルールを学び，自分のものとしてください。

キーワード解説

問答法，対話法（ディアレクティケー，[英]dialogue）　プラトンは，師ソクラテスが行なった問答による哲学探究の方法を踏襲して，自身の著わした著作を，対話篇の形式で表現した。対話篇という形式を採用することで，読者（古代ギリシアの読書は，誰かが朗読し，それを聴くというもの）に対して，問答における哲学の探究をすすめていると考えることもできる。

徳（アレテー，[英]excellence）　古代ギリシアにおける徳は，ひとことで言えば，優秀さである。ソクラテスやプラトンの生きた時代において，世間一般において流布していた徳ある人のイメージは，地位や名誉といったものを有している人であった。それに対して，ソクラテスやプラトンは，善く生きるために必要な特性を徳であるとした。

知識（エピステーメー，[英]knowledge, understanding）　プラトンは，哲学の探究により求められるべきものは，知識であるとした。それは，事物や事柄に関する知識ではなく，「それは何であるか」の知と言える。プラトンは，そのような「ものそのもの」としての「イデア」を，哲学の探究により獲得することが目指される対象であるとする。その獲得のための探究は，『メノン』や『パイドン』においては，想起説として提示されている。

著者紹介

プラトン（Plato，前 427 – 前 347）

　西洋哲学史はプラトンの注釈の歴史だとするホワイトヘッドの言及に顕著に現われているように，西洋の哲学に触れるうえで決して欠かすとのできない最大級の知の巨人の一人。28 歳のとき（前 399 年）にソクラテスが死刑となったことが，ソクラテスを主人公とした対話篇を執筆する契機となった。後にアカデメイアという学園を開き，哲学教育を行なった。

読書案内

【翻訳】
『プラトン全集』（全 15 巻，別巻として総索引あり）岩波書店，1974 – 1978 年
『世界の名著　プラトン I』『世界の名著　プラトン II』中央公論社，1978 年（現在品切れ）
古書店で見つけたら購入する価値有り。翻訳も解説も有益。特に『プラトン I』の方は，「ソクラテスの弁明」「クリトン」「ゴルギアス」「饗宴」「パイドン」等を収録しており，これ一冊で有名どころをかなり網羅できる。
　岩波文庫に『ソクラテスの弁明　クリトン』『プロタゴラス』『ゴルギアス』『メノン』『パイドン』『国家』（上・下）『パイドロス』『テアイテトス』『法律』（上・下）があり，また講談社学術文庫に『ラケス』『アルキビアデス　クレイトポン』『ソクラテスの弁明　クリトン』がある。光文社古典新訳文庫には『ソクラテスの弁明』『メノン』『饗宴』がある。

【入門書】
藤沢令夫『プラトンの哲学』岩波新書，1998 年
名著である。必読である。
納富信留『プラトンとの哲学　対話篇をよむ』岩波新書，2015 年
プラトン「との」哲学である。納富さんのプラトン哲学への熱い思いが伝わる一冊。
R. S. ブラック『プラトン入門』内山勝利訳，岩波文庫，1992 年
「第七書簡」の訳を所収。

＊プラトンを知るためにはソクラテスとその前後そして周辺についても——

田中美知太郎『ソクラテス』岩波新書，1957 年

納富信留『哲学の誕生　ソクラテスとは何者か』ちくま学芸文庫，2017 年

これは，納富信留『哲学者の誕生　ソクラテスをめぐる人々』(ちくま新書，現在品切れ)の増補改訂版。

＊翻訳にあたってみよう

プラトン『メノン』(岩波文庫，光文社文庫など)

プラトン『ゴルギアス』加来彰俊訳，岩波文庫，1967 年

特に『メノン』は，Ｊ．Ｓ．ミルが「哲学の宝石箱」と称するなどした名著。興味を持った人には，特にお薦めである。

◎書いてみよう

```
(罫線のみの解答欄)
```

━━━ コ ラ ム ソクラテスの死とプラトン ━━━

　ソクラテスを登場人物とした対話篇を多く残したプラトンは，ソクラテスがあのような裁判であのような判決が出されあのように死んだことについて，かなり長いこと（もしかしたら死ぬまで）何か思うところがあったのではないだろうか。

　プラトンが自身の著わした対話篇に自分自身を登場させるのは，『ソクラテスの弁明』のみである。『パイドン』では冒頭に名前を出すも，ソクラテスの死に立ち会っていなかったとされていることとは対照的であり，ソクラテスの法廷弁論の目撃者としての自負のようなものを感じさせられる。

　また，それ以外にもプラトンは，『メノン』においてソクラテス裁判の黒幕とされるアニュトスを登場させたり，『テアイテトス』ではソクラテス裁判の直前を舞台設定としつつ，知識とは何かを探究する中で，裁判における証言を例に出しつつ判断や信念といったものは知識ではないとしたりしている。

　これらの対話篇を読むたびに，プラトンの，ソクラテス裁判へのそしてソクラテスの死への無念さのようなものを感じずにはいられない。

　このコラムを読み，プラトンのそのような感情が少しでも気になった人には，ぜひこれらの対話篇を読んでみてもらいたい。

2 デカルト
すべてを疑うことは可能だろうか？

　ここでは，哲学史上もっとも有名な哲学者の一人であるデカルトのテキストを読んでいく。テーマは「懐疑[*]」である。この世に確実なものは存在するのだろうか。疑わしいもの，真かどうかわからないものをあえて偽とみなすという方法を用いて考えてみよう。

第 1 論考 ・・・感覚に対する疑い

　すでに何年か前に，私は次のことに気づいていた。幼少のころから，私は，どれほど多くの偽であるものを，真であると認めてきてしまったか。また，その後，私がそれらの上に築いてきたものが，すべてどれほど疑わしいものであるか。それゆえ，もしいつか私が，学問においてゆるぎなく不変のものを確立しようと望むなら，人生で一度はすべてを根底からくつがえして，もう一度最初の土台から始めなくてはならない。〔…〕今こそ私は，真剣に，そして自由に，私の以前の意見を全面的にくつがえすことに専念しよう。

　とはいえ，このためには，私の意見がすべて偽であることを明らかにする必要はないだろうし，そのようなことはおそらく決してやりとげられそうにない。しかし，すでに理性[*]は，完全に確実で疑う余地がないとは言い切れないものに対しては，明らかに偽であるものに対するのと同じくらい念を入れて，同意を思いとどまるよう説得しているのだから，それらの考えのどれか一つに何らかの疑いの理由が見つかったのなら，すべてを退けるのに十分だろう。またそのために，意見の一つ一つを確認するまでもないだろうし，そんなことはきりがないだろう。しかし，土台が掘り返されると，その上に建てられたものは何もかもひとりでに崩壊するのだから，私は以前に自分が信じていたすべてのものを支えていた原理そのものに直ちに挑むことにしよう。私がこれまでこの上なく真であると認めてきたものは，当然のことながら，すべて〔直接的に〕感覚[*]から，あるいは〔間接的に〕感覚を通して，受け取ったのである。ところで，これら感覚が誤るということを，私は何度か経験したことがある。そして，たった一度でも私たちを欺いたことのあるものを，決して完全には信用しない方が慎重な態度なのである。

　　　　　　　(Descartes, *Meditationes*, AT. VII, 17-18, デカルト『省察』「第一省察」)

1. このテキストから読み取れるデカルトの目的とは何だろうか。まとめてみよう。

2. デカルトはなぜ感覚を信頼しないのだろうか。具体例を挙げながら考えてみよう。

第2論考 ………………………………………………………… 夢と現実の区別

　　感覚はおそらく，何か微細なもの，きわめて遠くにあるものに関しては，ときどき私たちを欺くことがあるが，しかし，たとえ同じように感覚から汲まれたものであっても，それについてまったく疑われえないものが他にたくさんある。すなわち，私が今ここにいるということ，火のそばに座っていること，寝間着をはおっていること，などである。たしかにこの両手が，この身体全体が私のものであることを，どうして理性によって否定できようか？これが否定されるなら，おそらく私は狂人たちの仲間となってしまうだろう。〔…〕そうなのだ！　それではまるで私が〔まともな〕人間ではないかのようだ。だが私は，夜に眠り，夢の中で狂人たちが目覚めているときに体験するのと同じことをすべて体験し，ときにはもっとありそうもないことさえ体験する習慣のある人間なのだ。たしかに夜の眠りは，どれほどしばしば，自分がここにいるとか，寝間着をはおっているとか，火のそばに座っているといったことを私に信じ込ませることだろう。実際は，服を脱いで寝床の中で横になっているというのに。しかしながら，私が今この紙を見つめている眼はたしかに目覚めているし，私が動かしているこの頭は眠ってはいない。この手を私は故意に，意図的に伸ばすのであり，伸ばすことを感覚している。これほど判明なことが眠っている人に起こるはずはないであろう。だがそれでは，別のときには夢の中で同じような考えにだまされたことがあったのを覚えていないかのようである。以上のことを，さらに注意深く考えてみると，覚醒を睡眠から区別しうる確実なしるしがまったくないことがあまりにもはっきり知られるので，私は驚いてしまう。そして，驚きのあまり，自分が今眠っているという意見をほとんど確信してしまうほどである。

(Descartes, *Meditationes*, AT. VII, 18-19, デカルト『省察』「第一省察」)

問い

1. 感覚に由来していても疑いえないものとしてデカルトが挙げるのはどのようなものか。

2. 覚醒と睡眠(現実と夢)を区別する確かなしるしは本当にまったくないのだろうか。考えてみ

よう。

論述のコツ②　要約の仕方

　みなさんは，普通，哲学のテキストよりも新聞記事や論説文の要約や，映画や小説などのあらすじを書くよう求められることの方が多いことと思います。そもそも要約やまとめは論述だけでなく，仕事や日常生活などでも必要とされる力です。ここでしっかりとコツをつかんでおきましょう。

　まずは要約を求められたテキストを**複数回読む**ことが重要です。一回だけで意味を把握できると思ってはいけません。テキストがいったい何を言おうとしているのか，何を意味しているのか考えながら読んでください。そのとき，キーワードやキーフレーズ，重要だと思われる箇所にしるしをつけておくのも良いでしょう。

　次に最も重要だと思われる文章あるいは段落を見つけてください。キーフレーズが発見できれば要約は半分終わったと考えて差し支えありません。残り半分はそのキーフレーズを自分なりの言葉で言い換える——パラフレーズすることです。

　パラフレーズとはテキストの内容を別の言葉を使いながら**わかりやすく言い換える**ことです。「**つまり，……ということだ**」「**要するに，……である**」といったように，テキストの意味するところを読み手(あるいは聞き手)に伝わるように説明することだと思ってください。そのとき重要なのは，ただ単にテキストの引用や抜き書きに終わってしまわないことです。意味を変えずに，しかしながらテキストを自分なりに把握した言葉で置き換えるという作業が要約の難しいところであり，面白いところでもあります。日本とフランスの違うところかもしれませんが，フランスでは常に同じ言葉を使ってしまうと語彙が貧困であると思われ，あまり良い評価をされません。言葉を言い換えることによって，自分がその言葉や概念を理解していると読み手に伝えるのがフランス流の要約です。

　また分量にも注意しなければなりません。フランスでは要約を求められた場合，もともとのテキストの分量に対して最大でも４分の１まで文章量を減らします。分量がそれ以上になってしまうともはや要約とは言えなくなってしまいます。

　要約の最後の仕上げは，自分がまとめた文章が一つのまとまりを形成するように，手を入れることです。要約全体の流れがなめらかになるように細部を直してください。くどすぎるのもいけませんが，説明が足りずに飛躍があってもいけません。コツは文章と文章をつなぐ接続詞を工夫することです(接続詞については第 10 章で詳しく取り上げることにします)。自分の文章もまた何度も読み返しながら，要約を完成させましょう。

懐疑（[仏]doute，[英]doubt）　「方法的懐疑」という名で知られているが，デカルト自身は単に「懐疑」「疑い」あるいは「誇張的懐疑」と呼んでいる。

　私たちが真実だと思っているものに，本当に疑いをかけることはできないのかとデカルトは問う。そして，ほんの少しでも疑わしいものをあえて偽だとみなそうとする。このような懐疑に耐えうるものがあるのかどうか，あるならばそれは何かを探究するために，デカルトは懐疑という方法を取ったのである。

理性（[仏]raison，[英]reason）　日常生活でも用いられるこの語は，もともとはラテン語の ratio に由来する。理性と言うと難しく聞こえるが，英語では reason であり，理由や道理といった意味合いも含んでいる。デカルトによれば理性とは精神の力であり，これは人間ならば誰にでも備わっているとされている。ただし誰もがうまく使えるわけではないため，きちんと使いこなすことを学ばねばならない。ここでは大まかに〈物事を筋道立てて考える力〉と捉えておこう。

感覚（[仏]sens，[英]sense）　いわゆる視覚，聴覚，嗅覚，触覚，味覚の五感を指す。物事を認識するには重要な力であるが，デカルトでは理性と対置され，誤りの原因とされる。そのため感覚から得た認識については注意する必要がある。

ルネ・デカルト（René Descartes, 1596 – 1650）

　デカルトはフランスのトゥーレーヌ州にあるラ・エーに生まれた。ここは現在，デカルトと呼ばれている。11 歳のとき，ラ・フレーシュ学院に入り寮生活を送る。身体が弱く，特別に朝寝坊を許されていた。その後，ポワティエ大学で法学を修める。21 歳からオランダ，ドイツ，イタリア，パリなどを旅したのち，オランダに移住し長くとどまる。スウェーデンの女王クリスティーナに再三請われスウェーデンに渡るが，4 か月ほどで肺炎にかかり 53 歳で亡くなってしまう。

　彼はテキストにあるような哲学だけでなく，数学・音楽・気象学・物理学等々，多様な分野で才能を発揮した。

　また，決闘で勝つほどの剣の腕前を持っていたようである。頭蓋骨が残っており，パリの人類博物館に所蔵されている。日本でも大「顔」展（1999〜2000 年）で展示された。

【邦訳】

『省察』山田弘明訳，ちくま学芸文庫，2006 年
本レッスンで引用した『省察』にはいくつか翻訳があるが，文庫版のこちらが入手しやすい。

『デカルト』（『世界の名著』）野田又夫編，中央公論社，1967 年
『省察』だけでなく『世界論』，『方法序説』，『哲学原理』（第 1 部・第 2 部），『情念論』，『書簡集』（書簡の一部）が収録されている。今は絶版になってしまっているが，『世界の名著』シリーズは冒頭の解説もわかりやすくおすすめである。デカルトだけでなく興味ある哲学者については，ぜひ図書館で目を通してみてほしい。

『デカルト著作集』全四巻，所雄章他訳，白水社，1993 年
『省察』本文に「反論と答弁」が加えられたものは第 2 巻に収録されている。本文よりもずっと長い，当時の名だたる思想家による反論と，それに対するデカルトの（丁寧で，ときに慇懃無礼な）答弁が含まれている。

『方法序説』
翻訳はいくつかあるが，手に入りやすいのは以下の二冊である。
　谷川多佳子訳，岩波文庫，1997 年
　山田弘明訳，ちくま学芸文庫，2010 年
ちなみに有名な「我思うゆえに我あり」のフレーズは主著の『省察』ではなくこの著作に出てくる。

【入門書】
小林道夫『デカルト入門』ちくま新書，2006 年
デカルト思想のスケールの大きさを強調しつつ，重要なポイントを押さえた入門書である。少々文章が硬いが，デカルトの思想体系が現代でも持つ意義についても意識されており，その魅力が伝わってくる。
津崎良典『デカルトの憂鬱』扶桑社，2018 年
デカルトの思考を通して，人生でぶつかる問題をどう乗り越えるのかという方法について考えてみたい人におすすめ。著者のデカルトについての網羅的で深い知見と思考力の強さに裏打ちされた良書である。文章も読みやすい。この本は抜粋・再編集され 2020 年に『デカルト　魂の訓練』（扶桑社新書）としても出版されている。

◎書いてみよう

コ ラ ム 夢と現実

　夢と現実の境界をテーマにした作品はたくさんある。その中で最も有名なものはやはり映画『マトリックス』（1999 年）であろう。現実だと思って生きていた世界が実は虚構世界であり，リアルワールドは荒廃した SF 映画のような世界であった……。翻って私たちの世界を眺めると，果してこれが本当に現実世界なのか，実際は幻なのではないかと疑わしく思われてくる。エンターテイメントとしても良くできている『マトリックス』は必見だが，ここではもう一本，スペイン映画である『オープン・ユア・アイズ』（1997 年）をおすすめしたい。主人公は恋人の企みで大怪我を負うが，ある夜，その傷がすっかり元通りになっている。その後，彼は悪夢に悩まされようになるのだが……。夢と現実の区別が「つかない」様子がよく描かれている作品である。

3 ウィトゲンシュタイン
「生の問題」を言語で論じることは可能か？

　ウィトゲンシュタインは言語論的転回と呼ばれる 20 世紀の知的ドラマの主役の一人である。『論理哲学論考』を書いた若き日のウィトゲンシュタインは，その言語観をもとにして，科学と哲学にそれぞれどのような可能性と役割を見，またどのような限界を見ていたのだろうか。この文献の論述スタイルはかなり特異だが，じっくりと読みかえして論理構造を読みとっていこう。

第 1 論考 ……………………………………………………………………………科学とは何か

4　　　　思考とは有意義な命題〔文〕である。

4.001　命題の総体が言語である。

〔…〕

4.01　　命題は現実の像である。

　　　　命題は，われわれがそうやって現実を想像するような，現実の模型〔モデル〕である。

〔…〕

4.11　　真なる命題の総体が自然科学の全体（あるいは自然諸科学の総体）である。

4.111　哲学は自然科学のうちのひとつではない。

　　　　（「哲学」という語は，自然科学の上あるいは下のものを意味するべきであり，自然科学と同列のものを意味するべきではない。）

〔…〕

4.113　哲学は自然科学が議論可能な領域を限界づける。

〔…〕

4.116　およそ考えられうることはすべて明晰に考えられうる。言い表わしうることはすべて明晰に言い表わしうる。

　　　　　　　　（Wittgenstein, *Tractatus Logico-Philosophicus*, ウィトゲンシュタイン『論理哲学論考』，
　　　　　　　　番号付けはウィトゲンシュタイン本人による。〔　〕は筆者による注である）

問い

1. ウィトゲンシュタインが，「言語」「思考」「真な命題」「可能な命題」「科学（理論）」「詩」〈科学（活動）〉〈哲学〉について，どのように領域を設定しているか図に書いて整理してみよう。

図は適宜，自分の好きなように変更してもよい。

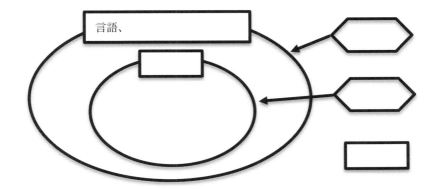

言語、

2. こうした言語観，科学観の特徴，そして利点と欠点を考えてみよう。

第2論考 ....科学の限界

6.5　　答えが言い表わしえないならば，問いもまた言い表わすことはできない。
　　　　謎は存在しない。
　　　　そもそも問いが立てられうるならば，答えもまた可能である。

〔…〕

6.52　　たとえすべての可能な科学の問いが答えられたとしても，われわれの生の問題はな
　　　　おまったく手つかずのままだと，われわれは感じる。もちろん，そのときもはや問
　　　　いはまったく残されてはいない。そしてまさにそれが答えなのである。

6.521　生の問題の解決を，ひとは問題が消え去ることによって気づくのである。
　　　　（これが，生の意味について長いあいだ疑ったのち，ようやく明らかになったひと
　　　　が，その生の意味とは何かを語ることができない理由なのではないか。）

6.522　とはいえ言い表わしえないものは存在する。それは自らを示す。それは神秘である。

6.53　　哲学の正しい方法とは，語りうること，つまり自然科学の命題——つまり哲学とは
　　　　関係のないこと——以外は，何も語らぬこと。そして，誰かが形而上学的なことを
　　　　語ろうとするときにはいつも，彼が自分の命題の中のある記号には何の意味も与え
　　　　ていないと指摘することである。この方法は相手を満足させないだろう。——彼は
　　　　われわれから哲学を教わっているとは感じないだろう。——だが，これこそが，唯
　　　　一厳密に正しい方法なのである。

〔…〕

7　　　　語りえないものについては，沈黙しなければならない。

（Wittgenstein, *Tractatus Logico-Philosophicus*，ウィトゲンシュタイン『論理哲学論考』，
番号付け，強調はウィトゲンシュタインによる）

1. ウィトゲンシュタインはなぜ「生の問題」は「科学」では答えられないと考えているのだろうか。

2. 「生の問題」にはたとえば何かあるだろうか。本当に科学で答えられないのかどうか，もし答えられるとしたらどういう答えになるか，検討してみよう。

論述のコツ③　敬体と常体

　文章は「です・ます調」か「だ・である調」で統一します。レポートでは，「だ・である調」に統一しましょう。

　「です・ます調」(敬体)は敬語です。敬語は相手との人間関係を考えて書くときに使います。たとえば，手紙やメールを書くときには，手紙の相手を考えて「です・ます調」を使うことが多いでしょう。「だ・である調」(常体)は相手との人間関係に配慮を示す必要がないとき，配慮すべきではないときに用います。

　レポートは，先生に向けて書くのだから，「です・ます調」を使うべきなのでしょうか？　いいえ。**「だ・である調」に統一すべき**です。レポートはたしかに先生が読むでしょうが，誰に読まれてもかまわないように書くべきなのです。先生だけにしか伝わらない秘密の通信では，手紙としては問題ないでしょうが，レポートとしては大いに問題です。

　レポートでは，たとえば「科学は人間を幸福にするだろうか？」のような知的課題が出され，これに対して，調べたり考えたりしながら解答を作成することが求められることが多いです。このとき，解答は，レベルが高いか低いかは別にして，**一つの知識として表現**することが求められています。知識の評価は，それを誰が発見したか，また誰に伝えられたかなどには影響されませんし，されてはなりません。その知識は，論理的に十分に理由づけされているかどうかで信頼度が評価されます。また社会的，学問的に重要かどうか，有用かどうかで，その意義が決まります。書いた人や受け取る人の立場や関係によって左右されてはならないのです。だから，レポートでは「です・ます調」相手に気を使うそぶりを見せるのは適切ではないのです。

　とくに大学は，学問的知識を人類共通の宝として，独占せずに共有すること，協力して発見していくことを目指す場所です。自分の発見した知識を，できるだけ余計な情報を落とし，理性と基礎知識を持った人なら誰が読んでも正確に伝わるように論理的に表現することが，**学問的，そして大学的な態度**なのです。

　ただし，「教員に対するメッセージをください」というような課題に対しては，「です・ます調」を用いた方が無難かもしれません。これは，教員と学生との間の二者間のやりとりであって，そ

ういうときには人間関係を配慮するのが社会常識です。したがって，レポートといっても，知識を求められているのか，単にメッセージを求められているのかを判別して，適切な文体で文章を作成する必要があるわけです。

キーワード解説

自然科学（[英]natural science）　科学とは「合理的な知識」のことで，西洋中世に支配的であった迷信や伝統，信仰などによる説明を批判しながら発達してきた。科学的知識は，実験や観察といった誰にでも共有可能な経験によって根拠づけられていること，数学や論理によって体系化されていることが重要な特徴である。自然科学は，物理学や化学，生物学，地学のように，基本的には対象を人間から切り離して客観的に観察する科学。人間や社会の現象を対象とする科学は人文科学や社会科学である。

命題（[英]proposition）　論理学で，それが正しいか間違っているかによって「真」または「偽」になる文のことを「命題」と呼ぶ。これに対して，命題の構成要素である「名」（語のこと）は，ただ決まった対象を指すだけで，真や偽になることはない。正しい命題，つまり真な命題によって，人間は正しい知識を表現することができる。だから，「命題」とは知識を表現するためのメディア＝媒体なのだ。知識を研究する者は，それを表現するための命題の性質を無視することはできないだろう。

形而上学（[英]metaphysics）　経験を超えた対象を研究する学問。古代ギリシャの哲学者，アリストテレスは，形而上学（メタ・フィジックス）を自然学（フィジックス）から区別した。自然学とは，私たちの身の回りにあって私たちが感じ，経験できる自然現象，つまり物の運動や動植物の生態などを対象にする学問のこと。一方，形而上学を研究するには，感覚による観察に頼ることはできず，ただ理性によって論理的に概念を突き詰めていくほかはない。この自然学と形而上学の区別は，2000年以上の時を越えて現代の科学と哲学の区別，役割分担にもつながっている。

生の問題（[英]problems of life）　生きる意味とは何か，人はどのように生きるべきかという問題のこと。古代哲学や中世のキリスト教思想においては，世界の存在と人間の存在の意味は，しばしば神という概念を通じて密接に関連して理解されていた。そこでは，世界や知識を論じる哲学は，同時に生の問題を論じる学問でもあった。だが，近代以降，哲学的考察が人間の認識や倫理，社会，そして科学の対象である世界を神から切り離して論じるようになった哲学からは，生の問題が抜け落ちてしまうようになった。パスカルやキルケゴール，ハイデガー，そしてウィトゲンシュタインらの哲学者は，こうした状況を問題にした。

著者紹介

ルートヴィヒ・ウィトゲンシュタイン（Ludwig Wittgenstein, 1889 – 1951）

　ウィトゲンシュタインは，オーストリアの大富豪のユダヤ人家庭に生まれた。イギリスのラッセルのもとで哲学を学び，主にイギリスで活躍した哲学者である。師のラッセルとともに，言語のメカニズムと言語の限界の解明に取り組み，20世紀の「言語論的転回」「分析哲学」といった潮流を引き起こす重要な一人となった。30歳ごろまでの前期哲学は論理学的な言語，40歳以降の後期哲学は日常言語の分析に関わり，そのそれぞれが20世紀の哲学における新しい潮流を生み出すことになった。ウィトゲンシュタインの仕事は言語の分析に関わるものがほとんどであるが，その背後には「生の問題」と呼ばれる強い倫理的ないし宗教的な関心があったことが知られている。

【邦訳】

『論理哲学論考』野矢茂樹訳，岩波文庫，2003 年

『論理哲学論考』はウィトゲンシュタインが生前に出版した唯一の哲学書であり，彼の前期の哲学が集約されている。本書は，分析哲学の専門家によるその新訳である。文庫版でもあり入手しやすい。文章は明晰で読みやすく，解説も充実している。

　訳者の野矢茂樹は『『論理哲学論考』を読む』（ちくま学芸文庫，2006 年）も書いている。これを手引きにすれば自力で読むには難しいこの著作を，訳者のコメントとともに読み進めることができるだろう。哲学書を丁寧に読んでいくとはどういうことかを体験するには絶好の教材でもある。

　なお，『ウィトゲンシュタイン全集』（全 10 巻＋補巻 2 巻，大修館書店，1975–1988 年）には，彼の後期哲学も含めて，ウィトゲンシュタインの残した講義録，講演，そしてまとまった原稿の多くが収められている。

【入門書】

B. マクギネス『ウィトゲンシュタイン評伝——若き日のルートヴィヒ 1889 – 1921』藤本ほか訳，法政大学出版局，1994 年

ウィトゲンシュタインの哲学は，彼の数奇な人生によって強く彩られている。特に，彼の哲学の表立っては論じられないテーマである生の問題は，彼の人生を踏まえずには捉えがたいものだろう。本書は，ウィトゲンシュタインが『論理哲学論考』を完成させる 32 歳ごろまでの詳細な伝記である。この伝記を読むことで，ウィトゲンシュタイン前期の哲学を生きたものとして読みとる手がかりが得られるだろう。

鬼界彰夫『ウィトゲンシュタインはこう考えた』講談社現代新書，2003 年

ウィトゲンシュタインの前期の哲学と後期の哲学は，そのどちらもが哲学の枠を越えて現代の学芸に広く影響を与えた。本書は，ウィトゲンシュタインの前期の論理学と後期の言語ゲーム論を，一貫してウィトゲンシュタインが自らの生の救済を目指した模索の過程として受け取ろうとする。新書なので一応初心者でも読める文章ではあるが，新書の枠を越えてかなり読み応えのあるウィトゲンシュタイン論になっている。

飯田隆『ウィトゲンシュタイン——言語の限界』〈現代思想の冒険者たちシリーズ〉講談社，1997 年

現代言語哲学の専門家による，ウィトゲンシュタインの人生と哲学をバランスよく丁寧に解説した良書である。文献紹介なども充実しており，ウィトゲンシュタインの哲学としっかり向き合ってみようとする場合，その手引きとして最適な一冊である。これを丁寧に読むことで，現代哲学の重要な潮流の一つである分析哲学が生まれてきたドラマを，そのまっただ中で主要な役割を演じたウィトゲンシュタインの人生を通して，リアルに感じることができるだろう。

◎書いてみよう

コラム 科学技術

　チャップリンの『モダンタイムズ』という映画は，チャップリンの演じる工場労働者が工場の巨大な歯車に巻き込まれるシーンで有名だ。この作品がつくられた 20 世紀前半は，戦車や飛行機，毒ガス，原子爆弾などが使用された二つの大戦をはじめ，科学技術の利用が社会や人間生活を大きく揺さぶった時代だった。それまで人類を幸福にすると信じられてきた科学への疑いが強まった。『モダンタイムズ』は，最新の科学技術の導入が人間性を破壊していく可能性を表現していた。こうした中で，科学や技術の本性は何であり，人間に何をもたらすのかが，哲学の重要な課題になった。科学技術がますます高度に発達し，私たちの生活に浸透している現代，この哲学的テーマの探究は続いている。

4 アーレント

孤立と独りぼっちであることと, 孤独の違いとは?

第 1 論考 ···孤立と独りぼっちであること

　孤立と独りぼっちであることと孤独。日本語だとどれも似たり寄ったりな印象を与えもするが, 英語で表記すると, isolation と loneliness, そして solitude となり, やはりそれぞれに意味合いを異にする。20 世紀思想の十字路に身を置いたとも評される女性の政治理論家ハンナ・アーレントは, その名を一躍世に知らしめた大著『全体主義の起原』(1951年)の改訂版に付した論考「イデオロギーとテロル」の中で, これら三つの言葉に彼女独特の定義づけを行なっている。本章では, 彼女の論述を読み解きながら, 彼女がこれらをどう区別していたのか, また loneliness はどういう点で問題があり, 逆に solitude にはどのような可能性があると彼女が考えていたのか, その思考をたどってみよう。

　まず, アーレントは, 「孤立と独りぼっちであることは同じものではない」と述べたあと, こう続けている。「私は独りぼっちではなくても孤立している——つまり, 私と一緒に行動する人間がひとりもいないから行為することができない状態にいる——かもしれない。また私は孤立していなくても独りぼっちである——, つまり, 一人の個人として自分があらゆる人間的な付き合いから疎外されているように感ずる状態にある——かもしれない」。そのうえで, 「孤立は, 権力を破壊し行為の能力を破壊しはするが, いわゆる人間の生産活動なるものに手をつけないばかりか, むしろこの生産活動のために必要なのである」と記している。

　少し補足をしておくと, アーレントの政治理論において, 「行為(活動と訳される場合もある) action」と「権力 power」は, 他者とともに営まれ, 維持されるものである。たとえば, ボランティア活動やデモ活動を思い浮かべてみよう。これらは人々とともに行なわれるものであるはずだ。だから孤立とは折り合いが悪い。「人間は homo faber (工作人)たるかぎり自分の仕事とともに孤立しようとする傾向がある。つまり一時的に政治の領域から逃れようとするのだ」と彼女は書いているけれど, これはたとえば工房に籠ってものづくりに励んでいる職人の姿を想像すればいいだろう。集中を要する作業において, 私たちは往々にして一人きりになりたがるのではないだろうか。したがって, 「一方では行為(praxis)とも, 他方では純粋な労働とも異なるものとしての製作(poiesis——物を作ること)は, そこに作り出されるものが工芸品であると芸術作品であるとにかかわりなく, つねに人間共通の関心事からのある程度の孤立の中でなしとげられる」と言われることになるわけだ。「ある程度の」とい

20

う言葉に注意しておこう。というのも，それゆえ「孤立の中でも人は人間の営為としての世界と接触を保っている」ことになるからである。

　いっぽうでアーレントはこうも書いている。「人間の創造性の最も根源的な形式は，共同の世界に自分自身の手による何ものかをつけ加える能力であるが，この形式が破壊されたときにはじめて孤立はまったく耐えがたいものになるのである」。それが「独りぼっちであること」だ。彼女はこの状態をひとまず次のように述べている。やや長く引用しておこう。「こういうことは，その主要な価値が労働によって決定される，言い換えればすべての人間活動が労働に転化されてしまっている世界では起こり得る。そのような条件のもとでは純粋な労働の努力——それは命をつなぐための努力にほかならない——だけが残されており，人間の営為としての世界との関係は絶たれている。行為の政治的領域の中で自分の席を失った孤立した人間は，もはや工作人としては認められず，その不可欠の「自然との代謝」のことなど誰も心配してくれないような animal laborans（辛苦する動物）として扱われるならば，物の世界からも見捨てられる。そうなると孤立は独りぼっちであることとなる」。

（Arendt, *The Origins of Totalitarianism*,
アーレント『新版 全体主義の起原　3　全体主義』みすず書房，346-348 頁）

問い

1. アーレントは「孤立 isolation」と「独りぼっちであること loneliness」の違いをどう説明していただろうか。要約してみよう。

＿＿＿
＿＿＿

2. 「独りぼっちであること」の問題点とはどういうものだろうか。アーレントの説明を参考にしながら，自分で考えてみよう。

＿＿＿
＿＿＿

　20 世紀前半の西欧で猛威を振るった全体主義。その要因の一つとしてアーレントが着目したのが，人々が抱く「独りぼっちであること」の感情だった。そして彼女は，「独りぼっち」との対比で，「孤独」な状態のある特徴に目を向けようとする。「独りぼっちであること」と「孤独」はどう異なるというのだろうか。そして，「孤独」が有する積極的な意義とは何か？　以下ではこの点について，考えてみよう。

第 2 論考 ………………………………………独りぼっちであることと孤独

　「独りぼっちであることは孤独 solitude ではない」。ここでもアーレントは両者を区別することから考察を始めている。そしてこう続ける。「孤独は独りきりでいることを必要とするのに反して，独りぼっちであることは他の人々と一緒にいるときに最もはっきりとあらわ

れてくる」。そのうえで彼女は,「彼は孤独でいたときほど独りぼっちでなかったことはなかった」という古代ローマ期の政治家カトーの言葉を引用し,こう付言する。「独りぼっちであることと孤独との区別を最初に行なったのはギリシャ生まれの解放奴隷で哲学者だったエピクテトスであったらしい。〔…〕エピクテトスの見ているように,独りぼっちの人間は他人に囲まれながら,彼らと接触することができず,あるいはまた彼らの敵意にさらされている」。カトー(前95-前46)とエピクテトス(60頃-138頃)という古代の人々の考えを参照することで,彼女は「孤独」と「独りぼっちであること」が,はるか昔からの現象であることを示唆しようとしているのだろうか。

　一時期「ぼっち飯」という言葉が流行ったように,「独りぼっちであること」は,周囲に他人が大勢いながら,彼・彼女らと関わることができないでいることから生じる寂しい感情のことである。それに対して,「孤独な人間は独りきりであり,それゆえ「自分自身と一緒にいることができる」」——こうアーレントは言う。なぜなら,「人間は「自分自身と話す」能力を持っているからである」。そして,「孤独」と「思考」とをこう関係づける。「孤独においては私は「私自身のもとに」,私の自己と一緒におり,だから〈一者のうちにある二者〉であるが,それに反して独りぼっちであることの中で私は実際に一者であり,他のすべてのものから見捨てられているのだ。厳密に言えばすべての思考は孤独のうちになされ,私と私自身との対話である」。彼女よりやや年下の日本の政治思想史家・丸山眞男も「自己内対話」を説いていたように,私たちは孤独な状態であるときにこそ,自分自身と対話するということが往々にしてあるのではないか。そのうえで,彼女は次のように続けている。これもやや長く引用しておくので,じっくりと読み解いてみてほしい。「しかしこの〈一者のうちにある二者〉の対話は,私の同胞たちの世界との接触を失うことはない。なぜなら彼らは,私がそれを相手に思考の対話を行なう私の自己に代表されているからである。孤独が担っている問題は,この〈一者のうちにある二者〉がふたたび一者——他のものと決して混同されることのない不変の一者——となるためには他者を必要とするということだ。私が自分のアイデンティティを確証しようとすれば,全面的に他の人々に頼らねばならない。そして交際というものが孤独な人々にとって最大の救いであるのは,この交際が彼らの分裂を解消させ,彼らを思考の対話——この対話の中では人間はあくまで曖昧な存在たるにとどまる——から救い出し,アイデンティティを回復させるからである。このアイデンティティのおかげで,彼らは交換不可能な人格の単一の声で語ることができるのだ。」

(Arendt, *The Origins of Totalitarianism*,

アーレント『新版 全体主義の起原 3 全体主義』みすず書房,349-350頁)

問い

1. アーレントは「孤独」をどのように説明していただろうか。その特徴をまとめてみよう。

2. 「私が自分のアイデンティティを確証しようとすれば,全面的に他の人々に頼らなければならない」のはどうしてだろうか。アーレントの説明を参考にしながら,その理由を考えてみよう。

論述のコツ④　主語と述語

　みなさんもご存じのように，英語(やドイツ語，フランス語)と日本語の大きな違いの一つとして，前者では主語と動詞が隣接しているのに対して，後者は両者が離れているという点を挙げることができます。もちろん，一概にどちらが良いとは言えませんが，**哲学のテキストは一文一文が長々と続く傾向があり**，私たち日本人が翻訳で欧米系の文章を読む場合，文の基本的な構造をつかむうえで若干やっかいな立場にいるとは言えそうです。

　ですから，文章を一読して意味がわからなかった場合は，主語と動詞に挟まれている部分を括弧(　)で括って，**主語に対応する動詞をまずは探してみる**ことにしましょう。もちろん哲学の文章は，主体による動作を書き記すよりも，その主体の性質を記述するものが多いので，主語と述語を見つけたところで，格段と読みやすくなるわけではありませんが，とはいえ文章を読み解くうえでの最初の手段の一つにはなると思います。

　あるいは日本語では主語を省略する場合もあります。たとえば川端康成の『雪国』は，「国境の長いトンネルを抜けると雪国であった。」という一文で始まりますが，これは英語では「The train came out of the long tunnel into the snow country.」と表現されます。同様に英語で「I see ～」や「I hear ～」と言う場合にも，日本語では「～が見える」「～が聞こえる」と表現することが多いですよね。日本語では「音が聞こえる」と言うのであって，「私が音を聞く」とはふつう言いません。

　ただ，文学作品やエッセイのたぐい，あるいは日常表現とは違って，哲学の論述を行なう場合には，**まずは主語を省略せず，主語と述語を意識して書いた方がいい**でしょう(「まずは」と書いたのは，文章の流れや読みやすさなどの点から，いちど文章を書いてからやはり主語は省略する，という場合もあるだろうからです)。

　また日本語は，主語と述語が隣接していないがゆえに，主語と述語が呼応していない不完全な文章にもなりがちです。たとえば，「コンピューターの性能は日進月歩を続け，それに反比例して低価格化している。」という文章の場合，「コンピューターの性能」という主語と「低価格化している」という述語が一致していませんね。「低価格化している」のは「コンピューターの値段」なのですから。

　主語と述語は，**文章を構成するいわば骨格**です。なるべく両者の構造を意識して，読み，そして書くようにしてください。

　　　　　　　(参考：古郡延治『文章ベタな人のための論文・レポートの授業』光文社新書，2014 年)

キーワード解説

行為([独]Handeln，[英]action/practice)　「万学の祖」とも呼ばれるアリストテレスは，人間の

営為をテオーリア（観想）／プラクシス（実践＝行為）／ポイエーシス（製作）の三つに階層的に区分したが，私たちが今日でも理論（theory）と実践（practice）を区別するのも（そして後者よりも前者の方を重視しがちなのも），アリストテレスのこの序列に由来していると言える。

製作（[独]Herstellen，[英]fabrication） アリストテレスは，人間の営為を三つに区分したうえで，それぞれに対応する知として，ソピアー（知恵）・エピステーメー（学問的知識）・ヌース（知性）／プロネーシス（実践知）／テクネー（技術）をあげる。アリストレスにおいて最下層に位置づけられた製作は，その知である技術が，科学革命以後の西欧近代において，観想的な知と結びつくことで，次第にその地位を上昇させてゆくこととなる。

見捨てられていること（[独]Verlassenheit，[英]loneliness） 何らかの理由で自分がこの世界から追い出されることで，その世界で互いに関わりあっていた他者をも失い，ひいては自分自身からも見捨てられてしまう状態のこと。全体主義的支配は人々のこの独りぼっちの感情につけこんだのだとアーレントは考えた。

著者紹介

ハンナ・アーレント（Hannah Arendt, 1906－1975）

　ドイツ中北部・ハノーファー郊外のユダヤ人家庭に一人娘として生まれ，幼少期からケーニヒスベルク（哲学者イマニュエル・カントが生涯を過ごした街として知られる）で育つ。マールブルク大学でハイデガーに，のちハイデルベルク大学でヤスパースに学ぶ。ハイデガーとは一時期恋愛関係にあったとも。ナチスが猛威を振るうようになったドイツを離れ，1933年にフランスへ，その後アメリカへと亡命。1951年に『全体主義の起原』を刊行し，一躍その名が知れわたる。1961年のエルサレムでのアイヒマン裁判傍聴をストーリーの軸とした映画『ハンナ・アーレント』が2013年に日本でも公開され，異例のヒットとなった。

読書案内

【邦訳】

『新版　全体主義の起原　3　全体主義』大久保和郎・大島かおり訳，みすず書房，2017年
トランプ大統領誕生時に，全米でふたたびベストセラーになるなど，今も読まれるアーレントの実質的デビュー作。翻訳も全文が見直されて「新版」となり，より読みやすくなった。全3冊を読み通すのはかなりきついが，本文の結論とも言える「エピローグ　イデオロギーとテロル──新しい統治形式」は，やはり読んでみてほしい。

『政治の約束』高橋勇夫訳，ちくま学芸文庫，2018年
アーレントの本は，ハードカバーのものは値段が高く，文庫の『人間の条件』や『革命について』は結構分厚い。本書はそれらの欠点を帳消しにしたかのようなありがたい本。『全体主義の起原』刊行後から『人間の条件』を出版するまでの期間の草稿が集められており，彼女の政治理論のエッセンスが凝縮されている。

【入門書】

矢野久美子『ハンナ・アーレント──「戦争の世紀」を生きた政治哲学者』中公新書，2014年
アーレントの波乱万丈な生涯とその中で生み出されていった諸著作とを繊細な筆致で紹介する評伝。ベンヤミンや沖仲士の哲学者ホッファーとの交流など，話題も豊富。

仲正昌樹『悪と全体主義──ハンナ・アーレントから考える』NHK出版新書，2018年
『全体主義の起原』と『エルサレムのアイヒマン』の内容を非常に分かりやすく紹介するとともに随所

に著者自身の考察もなされており，読み応えがある。最後の「いかにして「複数性」に耐えるか」という言葉は，「多様性」という言葉が安易に口にされる現在の社会において，とても重いものがある。

日本アーレント研究会編『アーレント読本』法政大学出版局，2020 年
国内外 50 名の執筆者らがアーレント思想の全体像を最新の知見から描き出した決定版とも言える入門書。資料集としても活用できる。

◎書いてみよう

```
（罫線のみの記入欄）
```

＝コラム＝ つながり孤独

　Twitter や Facebook，あるいは Instagram などの SNS が普及する中，「多くの人とつながっているのに孤独」という「つながり孤独」とでも言いうる寂しさを抱く若者が増えていると，以前に NHK のある番組が伝えていた。ここでの「孤独」を，アーレントの言葉で言いなおすなら loneliness となるだろう。というのも番組では，この「つながり孤独」を感じているのは何も日本人だけではないとして，イギリスを取材していたのだが，そのイギリスで 2018 年の初頭に新たに設けられた大臣職の名が「孤独担当大臣 Minister for Loneliness」だからだ。では人々はなぜ，「つながっているのに孤独」という感情を抱くのか。イギリスのある研究者は，「昔はパーティーに誘われなくてもその事実を知ることはなかったけれど，今は SNS でそれが見えてしまい，知らなくて済むはずだったことまで知ってしまう」という，SNS に特有の問題点を指摘する。つまり SNS によって「何でも見えすぎてしまう」ことが，あたかも自分だけが取り残されたかのような深い痛みの感情を引き起こすというのである。一日のうちの数時間は SNS から離れて，アーレントの言う「孤独 solitude」の時間をもってみる。そういう生活上の工夫が必要なのかもしれない。

5 主体

「私」は存在するのか？

　あなたが何かを見たり知ったりするとき，あなたは「主体 Subject/Sujet」である。一方，見られたり認識されるとき「客体＝対象 Object/Objet」である。だから，「主体」と「客体」はペアである。一人称の「私」は主体のことを指す。私が対象となったとき，二人称や三人称で，たとえば「あなた」「彼」「○○さん」などと呼ばれる。では主体＝私とは，いったいどのような存在者なのだろうか？　そもそも存在していると言えるのだろうか？　世界の中のすべての人々は，「○○さん」などと呼ばれる三人称で全員がカウントされ尽くしているのではないか？　だとすると，そもそも一人称の「私」は，この世界の中に存在する余地があるのだろうか？

第 1 論考 ···主体 Subject/Sujet は存在する

　しかしながら，私は努力しよう。昨日踏み込んだのと同じ道にもう一度挑んでみよう。すなわち，ほんのわずかな疑いでも許してしまうものからはすべて，完全に偽であると認めた場合と同じように，遠ざかることにしよう。そして，何か確実なものを認識するまで，あるいは，確実なものが何もないとしても，少なくとも，確実なものは何もないということ自体を確実なこととして認識するまでは，さらに進み続けていこう。〔…〕

　私は，〔確実なものを認識するための徹底的な懐疑によって，〕世界にはまったく何もないと，天も地も精神も物体もないと，自分を説得したのである。したがって，私もまたない，と説得したのではないか？　いや，そうではない。私が自分に何かを説得したのであれば，私はたしかに存在していたのである。しかし，いま誰かわからないが，きわめて有能で，きわめて狡猾な欺き手がいて，意図的にたえず私を欺いている。それゆえ，もし彼が私を欺いているならば，私もまた存在することはまったく疑う余地がない。〔欺くならば〕力の限り欺くがよい。私が自分を何ものかであると考えている間は，彼は決して私を無にすることはできないであろう。このように，すべてのことを十分に検討したのち，最終的に，次のように結論しなくてはならない。「私はある，私は存在する」というこの命題は，私によって表明されるたびごとに，あるいは，精神によって捉えられるたびごとに，必然的に真である，と。

（Descartes, Meditationes, AT. VII, 24-25, デカルト『省察』「第二省察」）

問い

1. デカルトはどのような根拠で「私は存在する」と考えたのでしょうか？

2. デカルトが存在すると考えた「私」は，どのような存在者でしょうか？

第2論考 ···································· 主体は存在しない

5.63 私は私の世界である。（ミクロコスモス）

5.631 思考し表象する主体は存在しない。
「私が見出した世界」という本を私が書くとすれば，そこでは私の身体についても報告がなされ，また，どの部分が私の意志に従いどの部分が従わないか，等が語られねばならないだろう。これは，すなわち主体を孤立させる方法，むしろある重要な意味では，主体が存在しないことを示す方法なのである。つまり，主体だけが，この本のなかで論じることのできないものなのである。

5.632 主体は世界に含まれない。それは世界の限界なのである。

5.633 世界の中のどこに形而上学的な主体が認められうるのか。
君は，これは眼と視野の関係と同じことだと言う。だが，君は現実には眼を見てはいないのである。
そして，視野におけるいかなるものからも，それがある眼によって見られていることは推論されない。

5.6331 つまり，視野はけっしてこのような形をしてはいないのである。

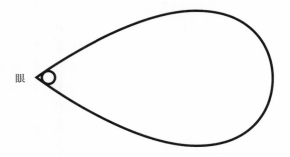

眼

（Wittgenstein, *Tractatus Logico-Philosophicus*, ウィトゲンシュタイン『論理哲学論考』，番号付け・強調はウィトゲンシュタインによる）

問い

1. ウィトゲンシュタインはどのような根拠で「私は存在しない」と考えたのでしょうか？

2. 「私」（主体）は「世界」の他の存在者たち（客体）と異なるものなのだろうか？

論述のコツ⑤　下書きの必要性

　レポートを作成する際に，いきなり文章を書き始めてはいけません。まず，どんなことをどのような順序で書くのかというおおまかなストーリーを立て，そのストーリーを完成させるために必要な内容や必要な情報，活動や資源などを考えます。これがプランです。このプランに沿って文書を書いていきましょう。

　ストーリーは章立てよりももうすこし細かく中身を考えておきます。レポートを作成するうえで，絶対に外せない要素がいくつかあります。これらを，必ずストーリーの中に入れてください。

　絶対に必要なものの最初は，そのレポートで何に解答しようとしているのか，すなわち**「問い」**です。先生の提示した課題をそのまま「問い」にしてもよい場合もありますが，たいていは，課題の意図や自分の書きたい内容，書ける内容をすり合わせて，うまく自分なりの「問い」を立てます。そして，その問いについて何に関する問いであるのかを説明したうえで，なぜその問いを立てるのか，その問いに答えることの意義などを説明する必要があります。問いを説明するうえで調べておかなければならないこともプランに入れておきます。

　次に絶対に必要なのは，先に立てた「問い」に対する**「答え」**です。その解答が，そのレポートであなたの提示する知識や意見ということになります。書きながら新しい解答を思いつく場合もあるでしょうが，一応どのような解答を出すつもりかを計画に入れておく必要があります。さもないと，書いているうちに話がどんどんわけのわからない方に進んでしまい，収拾がつかなくなることでしょう。飛び出す前にターゲットと定めておく必要があります。

　次に重要なのは，答えを導くための議論の**「展開」**です。展開はなぜそう答えるのかについての理由説明になります。理由の説明がうまくできれば，その答えは説得力を持つことになり，理由説明に失敗すると，その答えはあまり意味のないものとみなされるでしょう。だから，展開は非常に重要です。ふつうは，まずその問題を考えるうえでの基礎知識と基本的な考え方を確認します。いわゆる「先行文献」を整理したり，検討したりしながら，「問い」に対してどうやって「解答」を構成していけるのかのイメージを確認しておきます。そのうえで，そのイメージに沿って今度は自分自身が予定の解答に向けたを構成していきます。解答にたどり着くまでに，押さえなければならないことがいくつもあるかもしれません。それを一つずつ順序立てて文章を作っていく必要があります。それぞれの項目について調べなければならないこと，調べる手段，必要な資源・時間なども書き出してプランに入れておくとよいでしょう。

主体（[仏]sujet，[英]subject）　何か物を見たり触ったり，何かについて考えたりする行為や機能の担い手のこと。客体（対象：objet/object）と対で用いられる。

　デカルトの場合は「考えるものとしての私」を基盤として，存在や知識について探究していくのだが，この「私」を主体としてみなせばよい。「私」が存在し，「私」が対象や世界を認識しているという構図である。ウィトゲンシュタインの場合も，「私」は世界を言語で表現し，認識する主体として捉えられている。ただし，その「私」自身が「私」の外にある事物（たとえば世界の中にある物など）や人，あるいは「観念」（idea）や「表象」（下の項目参照）と同様に，客体（対象）となるのかどうかが論点になっている。

表象（[独]Vorstellung，[英]representation）　ある対象についての知覚や感覚が，主体の内部で捉え直されたものが表象である。たとえば私たちは，目の前のりんごについて「赤い」とか「すべすべしている」といった感覚を持ちうる。自分の内部で意識されるこの感覚がりんごの「表象」である。また，りんごが目の前から消え去っても，りんごについての様々な情報を思い出したり，思い描いたりすることができる。これもまたりんごについての「表象」である。

世界（[独]Weld，[英]world）　主体が認識し行為する場所，つまり主体が生きる場所のこと。「世界」とは，必ずしも科学の描き出す科学的世界だけではない。たとえば，ある特定の宗教的認識を持って生きている人にとって，その人の生きている場所は，その宗教的世界観によって現われている独特の世界である。宗教だけではなく，その主体の属する文化や歴史，社会，そして思想などに応じて，その主体の生きるその人の「世界」がある。こうした主体に応じた世界と，科学の描き出す世界の関係について，どう理解するべきかについては，哲学的な大問題である。

【入門書】
永井均『ウィトゲンシュタイン入門』ちくま新書，1995 年

　〈私〉をめぐる独自の思考で知られる哲学者，永井均はウィトゲンシュタインのテキストから多くのインスピレーションを得ている。その永井によるウィトゲンシュタイン哲学の入門書。自身の哲学が色濃く反映されている部分もあるが，「私」「言語」「世界」についてウィトゲンシュタインを通して考えることができる。ウィトゲンシュタインについて知ることができるだけでなく，「哲学」について初学者も多くのことを学べるはずである。

平野啓一郎『私とは何か——「個人」から「分人へ」』講談社現代新書，2012 年

　芥川賞作家である平野による，西洋の伝統的な「個人」という主体の捉え方に対する，「分人」という捉え方の提案。「分人」とは，その都度の状況に応じて現われる主体のことで，平野は，現代の人間をそういったその都度の主体の集合体として柔軟に捉えようとする。読みやすい語り口で，日常的な経験の中から，「主体」の問題に導いてくれる本としてお勧めする。

鷲田清一『じぶん・この不思議な存在』講談社現代新書，1996 年

　今回は「私」が存在するという主張と存在しないという主張の対決を見たが，鷲田はじぶんがじぶんであるのは他者の存在が大きく，他者との関係が重要であると考えている。じぶんが一人では存在できないとはどういう意味なのか，この本とともに考えてみよう。

◎書いてみよう

━━ コラム ━━ どこでもドア ━━━━━━━━━━━━━━━━━━━━━━━

　『ドラえもん』に出てくる「どこでもドア」。いったいどういう原理なのだろう。たとえば，のび太がドアをくぐったとたん，のび太の身体状態を完全にスキャンして情報化しそれを転送する。そして転送先で，そこにある元素を使って，届いた情報をもとにのび太を再構成する。脳の状態まで再構成されるから，記憶も意識もほとんど途切れない。こんな装置だったと仮定してみよう。

　あなたはこのドアをくぐってみたいだろうか？　転送先で待っていたしずかちゃんにとって，この装置が完全に作動していれば，どこでもドアから現れたのび太はいつもの「のび太君」だ。すなわち「客体」としては何も異常はなく，私たち物語の視聴者もどこでもドアに憧れながら物語を追いかけるだろう。だが，「主体」としてののび太にとってはどうだろうか。のび太は，どこでもドアをくぐった瞬間にスキャンされ分解されてしまっているかもしれない。そのままにしておいたら転送元と転送先に二人ののび太が存在してしまうだろうから。この場合，転送元ののび太は，永遠にしずかちゃんに会えることはないだろう。

6 知覚
物は見かけどおりにあるのだろうか？

　私たちは自分の周りにある物の存在を疑うことなく，またその見かけについてもさほど注意を払うことなく生活している。けれども，少し立ち止まって考えてみると視点や明るさなどによって見かけが変わる物の本当の姿とはいったいどんなものか，そもそも本当の姿と言えるものがあるのか，さらに言えば，この物は本当に存在するのかという疑問が生まれてくる。ここではバークリとカントの文章を読みながら考えてみよう。

第 1 論考 ……………………………………………………存在するとは知覚されること

　私たちの考えも，情念も，想像力によって形成される観念も，精神の外に存在しないということは，どんな人でも認めるだろう。そして，様々な感覚，つまり，感官*に刻まれた観念は，どんなふうに混合され組み合わされようとも（すなわち，どんな対象を作ろうとも），これら観念を知覚する精神の中以外には存在することはできない，ということも同じように明らかだと思われる。存在するという言葉が可感的な事物に適用されるとき，この言葉が意味していることに注意を払う人はだれでも，このこと〔＝存在〕についての直観的な知識を得られるだろうと私は考える。私がこれを書いている机は存在すると言うことは，すなわち，机を見て机に触れるということである。そして，もし私が書斎の外にいるとしても，机は存在すると言うだろう。それは，もし私が書斎にいるなら机を知覚するだろうということを，あるいは何か他の精神がその机を実際に知覚しているということを意味している。匂いがあったということは，匂いがかがれたということである。音があったということは，音が聞かれたということである。色あるいは形があったということは，視覚あるいは触覚によって知覚されたということである。以上が，このような表現で私が理解できることのすべてである。というのも，思考しない事物が，知覚されることとまったく関係なしに，絶対的に存在すると言われても，まったく理解できないように思われるからである。このような事物が存在する（esse）とは知覚される（percipi）ことであって，それらを知覚する精神の外に，つまり，思考する事物の外に存在するということは不可能なのだ。

(Berkeley, *A Treatise Concerning the Principles of Human Knowledge*, Part I-III,
バークリ『人知原理論』第一部3)

問い

1. バークリによれば，物の性質である色や形や匂いがあると言うためには，何が必要となるのだろうか。

2. バークリは物の存在について，どのように考えているのだろうか。

第2論考 ··知ることができるのは現象のみ

　　対象として私たちに与えられるべきものはすべて，直観において与えられなければならない。しかし，私たちの直観はすべて，感官を通してのみ生じる。悟性は何も直観せず，ただ反省するだけである。ところで感官は，先ほど証明されたように，決していかなる点でも私たちに物自体*そのものを認識させず，ただその現象*のみ認識させる。だがこの現象は感性の単なる表象にすぎず，「そのため，すべての物体もまた，物体が存在している空間とともに，私たちの中の単なる表象以外の何かとはみなされず，私たちの思考の中以外のどこにも存在しないにちがいない」。ではこれは，明らかな観念論ではないのだろうか？

　　観念論とは次のような主張である。すなわち，思考する存在以外に何も存在せず，私たちが直観において知覚すると信じているその他の物は思考する存在の表象にすぎず，このような表象に対して思考する存在の外にあるいかなる対象も実際に対応していない。これに反し，私は次のように主張する。すなわち，物は私たちの外にある私たちの感官の対象として与えられているが，その物がそれ自体において何であろうかということを私たちは何も知ることがない。私たちが知ることができるのはその現象のみである。その現象とはすなわち，物が私たちの感官を触発して私たちの内に生じさせる表象である。したがって，私はもちろん，私たちの外に物体すなわち物があることを認める。それがそれ自体において何であろうかということは私たちにはまったく知られていないにしても，この物の影響が私たちの感性に与える表象によってこの物を知るのである。そしてこの表象に私たちは物体という名前を与えている。それゆえ物体という言葉は，単に，私たちには知られていないが，しかし現実的な対象の現象を意味するのである。人はこれを観念論と呼ぶことができるだろうか？　いや，これはまさに観念論の反対である。

　　　　　　　　　　　　　　　　(Kant, *Prolegomena*, §13, Anmerkung II. カント『プロレゴーメナ』第13節注釈2)

問い

1. カントは観念論をどういう考え方だと理解しているのか。

```

```

2. カントは観念論に反対して，どのような考え方をしているのだろうか。

```

```

論述のコツ⑥　全体の構成

　フランス式論述では，全体の構成は決まっています。この構成に従っていない場合は減点対象となってしまいます。論述は三つの部分に分けられ，それぞれ序論，本論，結論となっています。本論はさらに三つの部分に分けられます。本論の三つの部分はのちに述べるように（→第 15 章参照），弁証法的な方法に従っています。先取りして言えば，第一に誰にとっても明らかな考え（テーゼ）を述べ，第二にそれに対する反論（アンチテーゼ）を述べます。そして，テーゼもアンチテーゼも問いに答えるためには十分ではないことを示し，第三の考え（ジンテーゼ）へと移ります。ただし，本論を三つに分けて展開することが難しければ，二つの部分のみに集中し比較することも可能です。

　また，序論，本論，結論に割く量についても決まっています。序論は全体の約 15～20%，本論は約 70～80%，結論は約 5～10% です。本論が最も重要であることがわかるかと思います。それぞれの書き方のコツはまた改めて見ていきましょう。

　以上をまとめると，次のような構成となります。

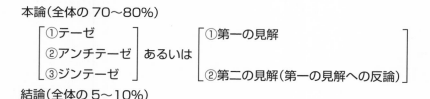

序論（全体の 15～20%）
本論（全体の 70～80%）
　　①テーゼ
　　②アンチテーゼ　　あるいは　　①第一の見解
　　③ジンテーゼ　　　　　　　　　②第二の見解（第一の見解への反論）
結論（全体の 5～10%）

　この構成は単に試験の論述だけでなく，レポートや論文についても当てはまります。参考にしてください。

　さて，フランス式の哲学的論述では，たとえば次のような問いを与えられます。今回のテーマである知覚に関わるものとしては「知覚とは何か？」「感覚は私たちを欺いているだろうか？」「何かを知るために知覚するだけで十分だろうか？」等々が過去のバカロレアで問われています。抽象的ですし，あまりにも大きな問いなので戸惑ってしまいますね。この問いに対して直球で答える必要はありません。序論で自分なりに問いの再構成をします。この再構成の仕方もまた改めて見ることにしましょう。今の時点では，4 時間もの長い時間をかける以上，第 5 章で見たように下書きの重要性をわかってもらえれば十分です。要は，序論，本論，結論のそれぞれのパートで

いったい何を述べようとするのか，前もってじっくりと考えなければならないということです。

　それが次の第7章のプランの立て方へとつながっていきます。日本では試験の答案にせよ，レポートにせよ，最初からいきなり書き始める学生が多いですが，それだけは絶対にやめてください。フランスの高校生は，構成を考えプランを立て下書きをするのに，4時間のうちだいたい2時間〜2時間半ほどをあてているのです。

キーワード解説

知覚（[英]perception）　感覚器官を通して外の世界についての知識を獲得することを知覚と言う。外の世界だけでなく，身体の状態の知識についても言われることがある。ここでは感覚を通して得られた知識だと理解しておこう。なおバークリは知覚と感覚の区別をせず，その受動性を強調している。

感官（[英]sense）　眼，耳，鼻などの感覚器官のことを指す。感覚と言い換えてもよい場合もある。

可感的（[英]sensible）　五感（視覚，聴覚，触覚，嗅覚，味覚）を通して得ることができるという意味。ここでは「感覚できる」と言い換えて理解しておけばよい。

物自体（[独]Ding an sich）　カントの独特の用語である。私たちの感覚によって知ることはできないが，私たちの主観から独立した客観的な存在が前提されるということである。

現象（[独]Ersheinung）　物について，その全容はわからないとしても，私たちは感覚を通して何らかの知識を得ることができる。この感覚を通して知られるものをカントは現象と呼んだ。

著者紹介

ジョージ・バークリ（George Berkeley, 1685 - 1753）

　アイルランドの哲学者。研究・著作にたずさわるとともに聖職者としても活動する。バミューダ諸島に学校を建設しようとしてアメリカに渡るが，資金が調達できず挫折してしまう。アイルランドに戻った後，国教会の主教となる。1753年に滞在先のオックスフォードにて死去。

イマニュエル・カント（Immanuel Kant, 1724 - 1804）

　ドイツの哲学者。プロイセンのケーニヒスベルクに生まれる。大学卒業後，9年間は家庭教師で生計を立て，その後はケーニヒスベルク大学で教鞭をとる。散歩に出る時間がいつも一定で，人々がそれを見て時計を合わせたという逸話が残っているほど規則正しい生活を送っていたことで有名である。ちなみにその予定が唯一狂ったのがルソーの『エミール』を読んでいたときだと言われている。

読書案内

【邦訳】

バークリ『人知原理論』宮武昭訳，ちくま学芸文庫，2018年

ようやく出版された新訳である。バークリの思想のエッセンスがつまっており，興味深い。訳文も読

みやすい。

バークリ『ハイラスとフィロナスの三つの対話』戸田剛文訳，岩波文庫，2008 年

バークリの著作の中でも手軽で読みやすい。対話形式となっており，学生（であろう）ハイラスの思い込みや問いかけに対して，外的な物質の存在を否定するバークリの考えを代弁しているフィロナスが応じている。

カント『プロレゴメナ』篠田英雄訳，岩波文庫，2003 年

文庫版で入手しやすい。カントの認識論の全体を知りたければ『純粋理性批判』を読まねばならないが，まずはこちらを手に取ってみることをおすすめする。『プロレゴメナ』の翻訳は，デカルトの章でも挙げた『世界の名著』シリーズの『カント』にも収録されている。また，『カント全集』が理想社（全 18 巻）と岩波書店（全 22 巻＋別巻）から出版されている。

【入門書】

冨田恭彦『観念論の教室』講談社現代新書，2015 年

観念論についてバークリを軸に解き明かしていく。バークリの生涯も彼の思想の重要な部分も押さえられていて全体像がわかりやすい。同じ著者による『観念論ってなに？』（講談社現代新書，2004年）もおすすめ。

石川文康『カント入門』ちくま新書，1995 年

カントの三大批判書を網羅しつつ，少々硬質な文章ではあるが，わかりやすく彼の思想を説いている。カント思想の全体像をつかむのにおすすめ。

御子柴善之『自分で考える勇気——カント哲学入門』岩波ジュニア新書，2015 年

上の『カント入門』よりもさらに取り組みやすいカントの入門書。予備知識がなくともついていける内容となっている。ジュニア新書ではあるが，レベルはなかなか高く，自分で考えることの重要さを再確認できる。

御子柴善之『カント哲学の核心——『プロレゴーメナ』をから読み解く』NHK 出版，2018 年

カントの『純粋理性批判』は，カントが用意周到に議論を組み立てているため，読みにくい部分がある。その点，自分自身で『純粋理性批判』にコメントを加えている『プロレゴーメナ』は比較的とっつきやすい。この本では『プロレゴーメナ』を丁寧に読み解き，哲学の専門家でなくとも理解できるようにカントの認識論が説明されている。

◎書いてみよう

（空欄の解答欄）

━━ コラム ━━ VR 技術と物の存在 ━━

　2016 年にリリースされたポケモン GO は，拡張現実（Augmented Reality）技術を利用したゲームアプリである。携帯端末を通すとそこにはモンスターが現われる。このモンスターは実際に「ある」のか「ない」のか，それとも……？　ヴァーチャルリアリティ（VR）技術を利用したゲームも続々と発売されている。2007 年のアニメ『電脳コイル』ではウェアラブル型のコンピュータ（電脳メガネ）を通して世界を見ていた。近い将来，このような世界が現実となる可能性もある。そのとき，ヴァーチャルに「ある」ことは「ほんとうには」存在しないのか，あるいはヴァーチャルな存在も「ある」ことになるのか。今後，私たちが物の存在をどのように考えるようになるのか，想像してみるのも楽しいだろう。

7 他者

他者とはどのような存在か？

第1論考··私とともにいる他者

「御前他の心が解るかい」。夏目漱石の作品群の中でもとりわけ哲学的な色彩が濃いといわれる『行人』（1913 年）において，大学教授の一郎は，弟で物語の語り手でもある二郎に対して，ある日こう問いかける。それに対して弟は，「他の心なんて，いくら学問をしたって，研究をしたって，解りっこないと僕は思うんです」と答えていた（『行人』新潮文庫，145-148頁）。

漱石とほぼ同時代を生きたドイツの哲学者，エトムント・フッサールは，その晩年にあたる著作『デカルト的省察』（1931 年）において，「他者経験の志向的解明」を企てた。その間主観性論は，「共現前」や他者の「身体」への「感情移入」を特徴とする。たとえばフッサールはこう述べている。「私は私の「うちに」他者を経験し，認識し，他者は私のうちで構成される——しかも，共現前によって反映されるのであって，原本（オリジナル）としてではない」（『デカルト的省察』岩波文庫，265 頁）。

そのフッサールのもとで一時期助手を務め，（彼が考案した）現象学という哲学の手法を学んだマルティン・ハイデガーも，主著『存在と時間』（1927 年）のある箇所で，やはり他者について論じている。では，ハイデガーにとって「他者」とはいかなる存在だったのだろうか。

ハイデガーは，「他者の共同現存在と日常的な共同存在」と題された節の中で，「現存在[*]の存在には，他者たちとの共同存在が不可欠の契機として属している」と書いている。つまり，「現存在は，自分にとって本質的に気にかかる他者たちのために「在る」」というのだ。そのうえで，こう念を押す。「これは，本質を突く実存論的[*]な言明として理解してもらわなくてはいけない。そのつどの事実的な現存在が他人のことなど気にせず，彼らなど要らないと思っていようとも，あるいはいてほしいがいないという場合でも，**現存在は共同存在というかたちで在る**」。最後の「**在る**」という語がゴチック体で強調されているのは，この前世紀を代表する哲学者の生涯の問いが，「在るとはどういうことか？」だったことを反映しているのだろう。彼は，「在る」の意味を新たに問い直す際に，漠然としたかたちではあれ，「在る」とはどういうことかを了解している存在者である人間，すなわち「現存在」の準備的な基礎分析から，その主著の考察を始めており，そこで取り出された特徴の一つが，「現存在は共同存在として在る」というあり方にほかならなかった。「**共同存在とは実存論的な意味で「他**

者のことが気にかかるがため」ということだが，この共同存在の内ですでに他者たちはその人たちが現に在るということについて開示されているのである。」

　そのうえでハイデガーはこう続けている。「このように共同存在でもって，他者たちが開示されていることがあらかじめ構成されているわけだが，以上からすると，それはまた有意性を，あるいはその有意性が実存論的な意味での「それが気にかかるがため」に固定されている体裁としての世界性を形成するひとつの契機だということになる。〔…〕世界の世界性の構造には，他者たちがさしあたって宙に浮いた主体として他の物の傍らに手近に在るのではなく，身のまわりの世界で配慮する彼らの世界＝内＝存在において，この世界の内部で手許に在るものの中から姿を現わすことが含まれているわけである。」

　「実存論的」および「世界＝内＝存在」については，キーワード解説の項を見てもらいたいが，ハイデガーがここで他者（そしてまた世界）を「気にかかる」とか「配慮する」対象として記述している点に気づいただろうか。彼のこの「気遣い Sorge」や「配慮 Besorgen」，「顧慮 Fürsorge」の概念は，「他者への気遣い」として，現代のケア論でよく援用されたりもする。

　『存在と時間』はハイデガーが 37 歳のときの著作である。すでに彼の名は，「思考の国の隠れた王」として，当時の哲学を志すドイツの学生らの間では知れわたっていた。しかし，元来が慎重で寡作な彼にはまとまった著作がなく，大学の人事が不首尾に終わることもたびたびであった。主著は，いわば急かされるかたちで短期間に書き継がれ，全体の構想のおよそ半分にあたる部分が「前半」として 1927 年 4 月に刊行された。同書は，出版されるや瞬く間に彼の名声を不動のものにしたといわれる（しかし，その「後半」は書かれずじまいに終わった）。本章で引用している箇所からは，その衝撃の本質はなかなか伝わりにくいかもしれないが，同書が有する文体の迫力は，以下の行文からも感じ取れるのではないだろうか。——「共同存在に，他者たちの共同現存在が開示されていることが含まれているのは，つまり，現存在の存在は共同存在なのだから現存在の存在了解には他者たちについての了解もすでに含まれているということを意味する。理解することは一般にそうなのだが，この理解も認識の働きから生じる知識なのではなく，むしろ認識や知識を初めて可能とするようなひとつの根源的に実存論的な在りようである。互いに相手を知っているというのは，根源的に理解する共同存在に基づいている。さしあたってのところ，それは，共同存在している世界＝内＝存在の身近な在り方からして，現存在が他者たちとともに身のまわりの世界で目くばりによって眼前に見いだし配慮するものを理解しながら知るという範囲で作用しており，その域を出るものではない。自分が配慮するもののほうから，そしてそれを理解することとともに，顧慮する配慮が理解されている。このように，他者はさしあたり，配慮する顧慮の中で開示されている。」

（Heidegger, *Sein und Zeit*, ハイデガー『存在と時間』作品社，183 - 184 頁）

問い

1. ハイデガーは「他者たち」をどのようなものとして考えているだろうか。その特徴をまとめてみよう。

2. あなたはどのようなときに「他者のことが気にかかる」だろうか。自分と他者との関わり方を振り返ってみよう。

第2論考 ···私を問いただす他者

　世界を私と他者とが分かちあう場として考えるハイデガーにとって，他者たちは世界の内部で「共同存在」として現存在とともにあるのであった。しかし，他者を私とともにいる存在と定義することに何か見落としはないのだろうか。ハイデガーの『存在と時間』から大きな影響を受けつつも，後年その存在論を痛烈に批判することになった，リトアニア出身のユダヤ人哲学者，レヴィナスの他者論をつぎに読んでみよう。

　レヴィナスは，『全体性と無限』(1961年)を「〈同〉と〈他〉」と題する部から始めている。以下では，そのなかの「形而上学は存在論に先だつ」と題する節を読み解いていきたい。あらかじめゴール地点を示しておこう。「**西欧の哲学は，これまでのところおおむね存在論であった。すなわち，存在了解を保証する中立的な中間項の媒介によって〈他〉を〈同〉に還元してきたのである**」。これが彼にとって一つの命題をなしている。では，彼がこう考える理由とはいったい何か？

　「**存在論は〈他〉を〈同〉に連れもどす。存在論によって，〈同〉の同一化としての自由，〈他〉によって疎外されない自由が昂進する。ここで観想**[*]**は，形而上学的な〈渇望〉を放棄する道，〈渇望〉がそれによって育まれている，外部性という驚異を放棄する道に入りこんでいるのである。——けれども観想は，外部性に敬意をはらうものとしては，形而上学のもうひとつの本質的な構造をえがき出す。観想は，存在了解，つまり存在論にあっても批判的であろうと配慮する。観想は，独断論と，その自発性における素朴な恣意を発見し，存在論を遂行する自由をも問いただす。観想が存在論を遂行しようとするしかたは，だからつねに，この自由な遂行という恣意的な独断論の起源にさかのぼろうとするものなのである**」。レヴィナスもまた，特異な文体を持つ哲学者として知られる。「観想」については，キーワード解説の項を参照してほしいが，この営みが「外部性」——『全体性と無限』の副題は「外部性についての試論」である——に敬意をはらうことで，存在論(ここでは先に私たちが読み解いたハイデガーの〈存在〉の思考が念頭に置かれている)を批判的に審問する可能性が示されている。それはすなわち，「〈同〉の同一化としての自由」を問いただすことにほかならない。

　そのうえでレヴィナスは，「**かりにこの遡行がそれ自体，存在論的な歩みであり，自由の行使であり，つまりは観想でなければならないとすれば，無限後退におちいってしまう**」と記すことで，「**だから観想が有する批判への志向は，観想と存在論のかなたへと観想をみちびくことになる。批判は，存在論とはことなって，〈他〉を〈同〉に還元することがなく，むし**

ろ〈同〉の遂行を問いただす」と論じてゆく。そして、「〈同〉を問いただすことは、〈同〉のエゴイスティックな自発性によってはおこりえない。それは〈他〉によってなされるのである。〈他者〉の現前によって私の自発性がこのように問いただされることが、倫理と呼ばれる」というのである。以下では、レヴィナスが〈倫理〉について説く一節をやや長く読んでみよう。

——「〈他者〉の異邦性——《私》に、私の思考と所有に〈他者〉が還元されえないということ——が、まさに私の自発性が問いただされることとして、倫理として成就される。形而上学、超越、〈同〉によって〈他〉が迎えいれられること、つまり《私》が〈他者〉を迎えいれることは、具体的には、〈他〉によって〈同〉が問いただされることとして、言い換えるなら倫理として生起する。倫理が知にぞくする批判的な本質を実現するのである。こうして、批判が独断論に先行するように、形而上学は存在論に先だつことになる。」

(Lévinas, *Totalité et infini*, レヴィナス『全体性と無限(上)』岩波文庫、61−62頁)

問い

1. レヴィナスは〈他〉、〈他者〉をどのように考えているだろうか。ハイデガーの「他者」理解との違いに留意しつつ、まとめてみよう。

2. あなたにとって「他者」とはどのような存在だろうか。ハイデガーやレヴィナスの考えを参考にしながら、自分の考えを書いてみよう。

論述のコツ⑦　プランの立て方

　みなさんは、たとえば旅行の際に、あらかじめプランを立てますか？　この項目が「プランの立て方」と題されている以上、プランを立てることをひとまず前提にするならば、なぜそうするのかというと、行き当たりばったりとなって旅行が散漫になってしまうのを避けるためではないでしょうか。

　レポートを書くときもそれと同じです。提出日や解答時間が迫っているからといって、無闇に書き出してしまうと、いたずらに文字を書き連ねるだけで目安の字数に達してしまうことになりかねません。そうすると**文章の焦点(ポイント)**がぼやけてしまうと思いませんか。旅行の例で言うと、旅先をただ日がな一日歩いているだけでは、あとで振り返ってみても「ただ歩いていた」という印象しか残らない可能性がある。これでは、ただ歩くことを目的にしているのでもない限り、もったいないですよね。

　論じるテーマがあらかじめ決まっている場合は、その**切り口**つまりは**問い**(料理で例えるなら、食材は定まっているので、それを焼くのか煮るのか、あるいは茹でるのか、はたまた生でいただくのか)をどうするか、事前に考える必要がある。もし自由に論じていいのであれば、どのテー

マを選ぶのか（レポートを読む側からすると，「また同じテーマか……」と思うこともあるので，他の人らと被らないよう**自分独自のテーマ**をできるだけ探した方がいい）をあれこれ考えてみる。書き始める前に，この案を練る作業になるべく時間をかけましょう。

　切り口やテーマが決まったら，今度はそれを制限字数の範囲内で，どう書き起こし，どう展開し，そしてどう結論づけるのかを考えましょう。レポートを読む側からすると，字数をクリアしたからか，「尻切れトンボ」で終わっているものを見かけることがよくあります。「起承転結」あるいは「序破急」など，お話には形式や構造があります。音楽だったら「イントロ，Ａメロ，Ｂメロ，サビ」と進んでいきますよね。形式とかおかまいなしの，よほど前衛的な作家や音楽家でない限り，これも書き出す前に，あらかじめある程度は考えておいた方が無難です。その際，「起承転結」を等分に均して書くよりは，たとえば起は導入なのでやや短くし，承と転は本論にあたる箇所なので長くし，そして結は短くというふうに，**強弱・メリハリを意識する**ようにしてください。

　以上の準備作業を，ただ頭の中で思いを巡らせるよりかは，実際にノートや白紙に自分のアイデアを書き出したり，引用・参考文献の文章を書き写しながらやってみてください。そうすれば，いざ書き始める前に実はレポートの大半はできている，ということに気づくかと思います。

キーワード解説

現存在（［独］Dasein）　「そこに在る」くらいを意味する da sein という副詞を伴った動詞の不定形を一語の名詞としたもの。存在を漠然とであれ理解しているという意味を込めてハイデガーは「人間」のことをこう呼ぶ。

実存論的（［独］existenzial）　現存在の存在としての「実存」を構成する構造について分析的に問う態度や，それを通じて見えてくる構造のこと。

世界＝内＝存在（［独］In-der-Welt-sein）　自己存在の了解と世界の存在の了解とが同時であることを表わすためにハイデガーが導入した概念。現存在（＝人間）の根本的な存在体制をさす。

観想（［英］［仏］contemplation）　純粋に事柄をそれ自体として眺め，真相を究明しようとする知的態度のこと。アリストテレスは，（第４章のキーワード解説でも触れたように）人間の営為を，観想／実践＝行為／製作の三つに区分したが，変化しない必然的なものに関わる営みであるという理由から，観想を最上位に位置づけた。

著者紹介

ハイデガー（Martin Heidegger, 1889 – 1976）

　ドイツ南西部のメスキルヒで教会の堂守りの子として生まれる。フライブルク大学神学部に入学するも，のちに理学部，ついで哲学部へと転部。現象学の創始者フッサールのもとで助手を務めたあと，マールブルク大学に赴任。「思考の国の隠れた王」という噂が哲学を志すドイツの学生らの間を駆けめぐったとされる。1927 年に『存在と時間』を刊行し，その名声は決定的なものに。その一方で，ナチスへの関与や反ユダヤ的な言説はいまだに問題視される。100 巻以上からなるハイデガー全集（その約半数は講義録が占める）はいまだ完結していない。

レヴィナス（Emmanuel Lévinas, 1906 – 1995）

　　旧ロシア帝国領（現在のリトアニア）のカウナス出身でフランスに帰化し
たユダヤ人哲学者。ドイツのフライブルク大学でフッサール，ハイデガー
の講義やセミナーに出席し，博士論文「フッサール現象学における直観理
論」はサルトルに大きな影響を与え，フランスにおける現象学運動の起点
となったといわれる。第二次大戦中には戦時捕虜となり，ホロコースト（＝
ナチスによるユダヤ人の大量虐殺）で妻子以外の親族のほとんどを失う。
戦後，ハイデガー存在論との対決が生涯の哲学的課題となり，その結果，
特異な「他者」の思想を生み出す。1961年にポワティエ大学に職を得
るまでは，長く東方イスラエル師範学校の校長職にとどまっており，老齢期以降にその名声が急速に
広まった遅咲きの哲学者と言える。

読書案内

【邦訳】

『存在と時間』高田珠樹訳，作品社，2013年

本章ではこの訳書を使用した。意を尽くした事項索引と用語・訳語解説（先のキーワード解説でも参
照した）が便利。

『存在と時間』（一）〜（四），熊野純彦訳，岩波文庫，2013年

各分冊の冒頭に，全体を見渡す「梗概」を置くほか，豊富な内容の注解と訳注が含まれている。

『全体性と無限』（上）（下），熊野純彦訳，岩波文庫，2005 – 2006年

哲学史的にたいへん目配りのきいた豊富な訳注と，下巻の解説，人名索引・事項索引・文献索引がと
ても充実している。

【入門書】

筒井康隆『誰にもわかるハイデガー』河出書房新社

著者は日本を代表するSF作家。細田守監督の映画『時をかける少女』の原作者である。『存在と時
間』を扱った本書は，講演を元にしているのでとても読みやすく，大澤真幸氏による「解説」も参考
になる。

村上靖彦『レヴィナス──壊れものとしての人間』河出ブックス

現象学者として，自閉症研究や介護・看護等のケアの分野での共同研究に精力的に取り組んできた著
者によるレヴィナス論。異様かつ奇妙なレヴィナスの哲学を精神病理学と関連づけて論じるなど，特
徴的かつ抑制された論述が冴えわたる。

◎書いてみよう

（以下、罫線のみの記入欄）

◆━コラム━ 師弟関係 ━

　みなさんには「師」と言える人はいるだろうか。思想家兼武道家の内田樹さんは、『先生はえらい』（ちくまプリマー新書）という本の冒頭で、「いまの若い人たちを見ていて、いちばん気の毒なのは「えらい先生」に出会っていないということだ」と述べている。

　ここでの「えらい先生」は、べつに「偉人」でなくていい。お世話になった「恩師」でなくてもいい。他人にとってはそうでもないのに、自分にとっては「先生はえらい」と言い切れるような、そんな「人生の師」がいるのなら、それはまさに僥倖である。まだそんな存在がいないという人は、ぜひこれから、自分にとっての「師」を見つけてほしい。

　本章で取り上げたハイデガーとレヴィナスは師弟関係だ。ユダヤ人のレヴィナスにとって、師の反ユダヤ的な言動は到底許せないものだったが、しかし彼にとってハイデガーは生涯「師」であり続けた（そして、そのレヴィナスを師と仰ぐのが内田さんである）。ソクラテスとプラトン、プラトンとアリストテレス、フッサールとハイデガー、そしてハイデガーとアーレント、これらもみな哲学史における有名な師弟である。

　この哲学者にはどんな師がいたのだろう？——そんな視点から哲学者に近づいてみるのもおもしろいだろう。

8 欲望
私たちが何かを欲することとは，どのようなことなのか？

欲望や欲求はどのようなもので，私たちはそれをどのように評することができるだろうか。それを肯定的あるいは否定的に評するとしたら，それぞれどのような理由によるだろうか。

第1論考 ────────────────── 快楽に対する異なる立場について

プロタルコス「どうやらそのとおりでしょう，ソクラテス。しかし，思慮深い人にとってすべて知っているということはよいことではありますが，しかし第二の航海[*]（すなわち次善の策）は自分自身のことについては忘れてしまうことのないようにすることだと思われます。ではなぜ今になって私がこのようなことを言うのか，あなたにお話ししましょう。あなたが，このような会合に私たちが関わることを快諾されたのですよ，ソクラテス。そして人間の所有しているもので最高のものとは何かを見つけることを，あなた自身に引き受けられたのですよ。というのも，ピレボスは快楽や悦楽や愉悦やそういった種類のすべてのものがそれだと言いましたが，あなたはそれらに対して，そういうものではなく別のものだと反論したのです，その別のものについて私たちは，それぞれを記憶の中において詳細に吟味するために，しばしばそれらを思い起こそうとしておりますが，それは正しい行ないだと言えるのです。それで，あなたの主張は次のようなものであると思われます。それは快楽よりもよりよく善であると正しく名づけられているものである知性，知識，洞察，技術，そしてまたそれらと同類のあらゆるものを所有すべきであって，ピレボスが述べたようなものは所有すべきではないということでした。そしてこれらのことがそれぞれの異議申し立てとともに述べられたとき，私たちはあなたに対して，それらの言論について詳細に規定され十分に限定がなされるまでは，あなたを家に帰さないなどと冗談めかして脅したのですが，あなたは承諾して私たちに対してあなた自身をそれに充ててくださったのです。それゆえ私たちは，まさに子どものように，正しく与えられたものについては取り上げてはならないと主張するのです。そのようなわけですから，いま論じられていることがらに関してそのような仕方で私たちに対峙するのは，やめていただきたいのです。」 (Plato, *Philebus*, 19c–e, プラトン『ピレボス』)

問い

1. プロタルコスの発言から，ピレボスとソクラテスの立場を読み取って，それぞれを簡潔に述べよ。

2. 知性や知識の方が，快楽よりも人間にとって善なるものであるとする立場に立つとしたら，どのような議論を展開していけるだろうか。

　プラトンは『ピレボス』において，快楽や欲望に対する批判的な態度をとっている。しかし，私たちが欲求するというはたらきを有しているということを受容するならば，私たちは，そのことをどのようにして哲学の問題として考えうるのだろうか。そもそも，それは受容できるものなのだろうか。この問題について，ルネサンス期の神学者でもあり哲学者でもあった，ジョバンニ・ピコ・デッラ・ミランドラ『人間の尊厳について』を参照しながら考えていこう。

　ピコ・デッラ・ミランドラによる『人間の尊厳について』の以下の箇所では，人間は自身の志向や欲求により，どのようなものにでもなりうるということが述べられている。そして，そのような意味での自由意思を持っていることが人間の尊厳(ラテン語では dignitas，英語では dignity)であると述べられている。そのことを踏まえつつ，以下の文章を読んでいこう。

第2論考 ·····························人間がどのようなものになるのかについて

　人間が生まれる際に，父なる神が人間の中にすべての種類の生命の種と芽を埋め込みました。それぞれの人間が耕し育むそれらの種は，人間の中で育ち，そして実をつけます。もしその人が植物の種を育むならば，人は植物になるでしょう。もし感覚の種を育むなら，人は野獣となるでしょう。もし理性の種を育むなら，彼は天界の生き物となるでしょう。もし知性の種を育むなら，彼は天使になるでしょう，そして父なる神の子になるでしょう。そしてもし彼がそれらあらゆる生き物となることに満足せず，彼自身の統一（一性）の中心に自らの身を置くならば，そのとき，彼は神と一つの精神をなし，そして万物を超えたところにおられる父の孤独な暗闇★の中に身を置き，彼は万物の先頭に立つものとなるでしょう。

〔…〕

　たとえば，もしあなたが空腹を満たすため土の上で腹ばいになっている人を見かけるなら，あなたの見たものは灌木であり人間ではないのです。もしあなたがカリプソ★のような空虚な想像の幻想により盲目にされ，くすぐりの魅惑にとらえられ，そして感覚に身を任せているような人を見かけるなら，あなたの見たものは野獣であり人間ではないのです。もし正しい推論によりすべてのものを判別しきっている哲学者があなたの前に立ち現われたとしたら，彼は天界の生き物であり地上の生き物ではないのです。もしあなたの前に身体を無視し精神

46

の最も内奥たるところに消えるような純粋な観照者が現われたなら，彼は地上の生き物でも
なく天界の生き物でもないのです。この者は，人間の肉体により崇高な神性をまとった存在
なのです。

> ★孤独な暗闇──光を超えた志向な頂としての闇であり，父なる神はここに存するとされる（『人間
> の尊厳について』大出哲ほか訳，国文社，1985年，訳者注103-104ページ参照）。
> ★カリプソ──『オデュッセイア』に登場する海の女神であり，美しい容姿をしているとされる。

> （Giovanni Pico della Mirandola, *De hominis dignitate*,
> ジョバンニ・ピコ・デッラ・ミランドラ『人間の尊厳について』）

問い

1. 人間はどのようなものからどのようなものにまでなれるとされているか。

2. この文章の後，ピコは，人間はそうでありたいと求めるものになるという者として生まれつ
   いたのであるが，それは知恵のない野獣になることではなく，自身が神々であり最も崇高な
   存在の息子であることを理解し，至高なものを求めるためであるとする。このようなピコの
   主張に対して，あなたはどのような立場をとるか。そして，人間の欲望や欲求のようなもの
   が人に何をもたらすと言えると考えるか。

論述のコツ⑧　本論を書くコツ

　本論を書くことって，難しいですよね。今みなさんの目の前にいる哲学の先生も，論文執筆に
行き詰まると，自宅だったり研究室だったり，あるいは堤防の土手だったりで，「くぁwせdrftgy
ふじこlp……！」と，言葉にならないことを叫んでいるかもしれません。

　さて，本論を書くコツですが，フランス流小論文では以下のようにいくつかのルールがあり，
そのルールが守られているかどうかが採点ではチェックされます。

①本論は序論で設定した問いに答えていくために，議論を展開していく部分です。普通，**二つ，
あるいは三つの部分で構成**されます。二部構成にする場合はテーゼとアンチテーゼ（ある意
見とそれに対する反論）を，三部構成にする場合はテーゼ，アンチテーゼ，ジンテーゼ（意見，
反論，意見と反論をまとめ上げる第三の考え）を書いていきます。

②哲学的小論文の場合は**各部分に必ず少なくとも一人の哲学者の思想（引用であればなお良い）
を援用**していきます。哲学者の考えをうまく取り入れていくことによって，自分勝手に思考を
進めていっているわけではなく，哲学的根拠があることを読み手に示すことができるわけで
す（哲学の論述ではない場合，各分野の専門家の考えや文章を参照することになるでしょう）。

③二部構成の場合も，三部構成の場合も，**自分の主張は最後**に持ってきてください。最後に配置することで主張が強調されます。

　本論を書き出す前に，綿密な準備（下書き）が必要ですが，共通しているのはまず本論を書き始めるということです。序論と結論は，ある程度の概要をまとめておく必要はありますが，書き上げるのは本論執筆のあとです。これは議論を展開していくうちに，自分の設定した問いが変容したり，問いに対する答えが当初の予定とは異なってきたりすることがあるためです。

　本論はレポートや論文の中で，分量としても議論としても最も重要な部分を担っています。ルールに従って読み手に伝わりやすく説得的な文章を書くように心がけてください。また，このルールはみなさんが考えを進めていくための助けともなります。**このルールを意識することで自然と思考の方法も身についていく**はずです。

キーワード解説

第二の航海（[英]second voyage）　プラトンが『パイドン』において提示した，次善の方法としての哲学探究。仮設の前提を基にした探究の方法（仮設法）を用いた善原因の探究の過程である。仮設の前提が正しい限りにおいて，この探究は正しさにおいて持ちこたえることができる。

哲学的ゾンビ（[英]zombies in philosophy）　物質的にはそして振る舞いの上では意識ある人間と識別不能であるが，意識を有していない点において人間とは異なる存在として，目的論的意味論に対する反例等に用いられる仮想の存在。映画等に登場するウォーキング・デッドとしてのゾンビとは異なる(類：スワンプマン)。この項では直接は言及されてはいないが，16章にも関わってくるので，押さえておくことをお薦めする。

著者紹介

ジョバンニ・ピコ・デッラ・ミランドラ（Giovanni Pico della Mirandola，1463 – 1494）

　ルネッサンス期の人文学者であり哲学者。フィレンツェのプラトン主義者としてフィッチーノと並び称される。プラトンの学説とアリストテレスの学説の調和を試みたともいわれる。彼にとっての人間は理念的なものあるいは聖なる生命を有するものであり，肉体を持ち肉体に由来する欲求や欲望により生きるものではなかったともいえよう。

　この『人間の尊厳について』は，彼が企てたローマでの討論会の開会の辞となるはずのものであった演説草稿が，彼の死後，出版されたものである。

読書案内

【邦訳書】

プラトン『ピレボス』〈西洋古典叢書〉山田道夫訳，京都大学学術出版会，2005 年
プラトンの後期対話篇の一つ。一と多，存在の四分類など，様々な方法等が用いられ，快楽に関する探究がなされる。快楽主義を批判。

ダニエル・C. デネット『解明される意識』青土社，1997 年
意識は刹那的に現われる並列的な複数の草稿により構成されているとする「意識の多元的草稿」(multiple drafts theory)というモデルが提案される。

ダニエル・C. デネット『思考の技法──直観ポンプと 77 の思考術』阿部文彦・木島泰三訳，青土

社，2015年

デネットによる哲学思考ツール本。とはいっても，そんじょそこらの思考ツール本ではなく，デネット節が炸裂しまくっている，哲学読み物本として楽しんだ方がよさそうだと思えるような思考ツール本である。実用的かどうかは未知数。

【入門書】

柴田正良『ロボットの心──7つの哲学物語』講談社現代新書，2001年

ロボットに心を持たせるために乗り越えなければならない問題を紹介しつつ，それらを哲学的に考察するという文脈の中で，感情を肯定的に捉えている。

岸田秀『ものぐさ精神分析』中公文庫，1996年

心理学者であり思想家でもある岸田秀の『ユリイカ』での1975年の連載を中心にまとめられた随筆集。人間の存在の幻想性を思考の軸として様々に論が展開される。

◎書いてみよう

　私たちは，およそ何をするにでも，何かを求めて行為すると言えよう。たとえば，空腹時に，たとえ現在ダイエット中であったとしても，食欲に負けて，間食をしてしまったり，夜食をとってしまったりしたことのある人もいるのではないだろうか。しかも，そのような場合，私たちは，食べ物を食べようという意識を有する前に，食べ物を手に入れようとして動き始めているものであるとも言われる。そうであれば，戦う前から食欲に負けていると言えないこともないだろう。

　では，欲求であったり，欲望であったりといったようなものは，このような否定的な経験であったり否定的な評価であったりするような，人間にとってマイナスのものでしかないのだろうか。もしそうであれば，私たちはなぜそのようなマイナスのものでしかないような働きを有しているのだろうか，そして，なぜそのようなものに振り回されてしまうことがあるのだろうか，といった問いへと進んでいくことは，自然なことであるようにも思われる。

　欲求や欲望を持ちうる生き物であることも含めて，人間がこのようなありようで進化してきているのは，欲求や欲望がマイナスのものでしかないわけではないということの状況証拠の一つであるとも言えるのではないだろうか。

9 存在と時間
時間をとらえることはできるのか？

　哲学の歴史の中で「時間」は，そのはじまりから現在にいたるまで問われ続けている大きな問題の一つである。今回は，時間を把握することができるのかどうか，できるのだとすればどのような仕方がありうるのか，考えてみよう。

第 1 論考 ··時間の謎

　　では，時間*とはいったい何でしょうか？　誰がこれをやさしく手短に説明できるでしょうか？　誰がこれについて言葉で表現し，思考によっても理解できるでしょうか？　私たちが会話の中で言及するものの中で，時間よりも親しみ深く知られているものがあるでしょうか？　時間について話すとき，私たちはたしかに理解しています。時間について他の人が話しているのを聞くときも，理解しています。では時間とは何でしょうか？　もし誰も私に尋ねないとき，私は知っています。もし尋ねられて説明しようとすると，私は知らないのです。しかしながら，次のことは自信をもって知っていると言えます。もし何も過ぎ去らないのであれば，過去の時間はないだろうし，何もやって来ないならば，未来の時間はないだろうし，何もないのであれば，現在の時間はないだろう，ということです。ところで，この二つの時間，過去と未来とは，過去はもうないものであって，未来はまだないものである以上，どのようなものなのでしょうか？　現在について言えば，もし常にあり，過去へと過ぎ去らないのなら，もはや時間ではなく，永遠となってしまうでしょう。したがって，もし現在が時間であるのは過去へと過ぎ去っていくからだとすれば，私たちはどのように，もはやないことでのみ存在するものをあると言えるのでしょうか？　まさに，ない方に向かっていかなければ，本当に時間があるとは言えないのでしょうか？

　　　　　　　　　（Augustinus, *Confessiones*, XI-14. アウグスティヌス『告白』第 11 巻第 14 章）

問い

1. アウグスティヌスは「現在」「過去」「未来」のそれぞれについて，どのような矛盾を見出しているだろうか。

```
┌─────────────────────────────────────────────────────────────┐
│                                                               │
│                                                               │
│                                                               │
└─────────────────────────────────────────────────────────────┘
```

2. 時間はなぜ捉えるのが難しいのだろうか。考えてみよう。

```
┌─────────────────────────────────────────────────────────────┐
│                                                               │
│                                                               │
│                                                               │
└─────────────────────────────────────────────────────────────┘
```

第2論考·····································時間は分割できない

　　真の持続を構成しているのは，まさにこの変化の分割できない連続性なのです。ここで私は，以前別のところで論じた問題を徹底的に検証することはできません。したがって，この現実の持続のうちに，なんと表現していいかわからない神秘的なものを見ようとする人たちに答えて，これがきわめて明白なものであると言うにとどめます。すなわち，現実の持続とは，これまでずっと時間と呼ばれてきたものですが，分割できないものとして知覚された時間なのです。時間には継起という意味が含まれることを，私は否定しません。しかし，継起はまず，並置された「前」と「後」に区別されて私たちの意識に現われます。これに私は同意できません。私たちがあるメロディーを耳にするとき，私たちが聞くことのできる継起の最も純粋な印象——同時性からはできる限り遠くかけ離れた印象——を持ちますが，メロディーが連続していることそのものとメロディーが分解できないことによって，この印象は私たちに与えられるのです。もし私たちがメロディーを好きなように「前」と「後」の別々の音符に切り分けてしまうのなら，そこに空間のイメージを混ぜ，同時性の継起を染み込ませることになってしまいます。つまり，空間の中に，空間の中にのみ，互いに外的な部分の明らかな区別があることになってしまうのです。もっとも，普通，私たちが身を置いているのは空間化された時間の中だということを私は認めます。奥底にひそむ生命の絶え間ないざわめきを聞いても，私たちに何も得るところはありません。しかしそれでもなお，現実の持続はそこにあるのです。ある程度の長さの変化が唯一の同じ時間の中に位置しているのは，この持続のおかげであって，この変化に，私たちの内においても外界においても，私たちは立ち会っているのです。

　　そういうわけで，私たちの内部であれ外部であれ，事物の内部であれ外部であれ，現実のものとは変動性そのものなのです。このことを私は，変化はあるが変化する事物というものはないという言い方で表現していたのです。

　　　　　　　　　　　　　（Bergson, «Perception du changement», *La pensée et le mouvant*,
　　　　　　　　　　　　　　　　　　　　ベルクソン「変化の知覚」『思想と動くもの』）

問い

1. ベルクソンは時間（＝持続）をどのようなものとして理解してはいけないと主張しているのか。
　　メロディーの例を参考に考えてみよう。

（空欄）

2. ベルクソンの主張する持続（＝時間）とは，どのようなものだろうか。

（空欄）

論述のコツ⑨　問いの発見

　下書きの必要性やプランの立て方の項でも触れましたが，もう一度繰り返します。問題を見て下書きもせずにやみくもに論述を始めてはいけません。重要なポイントはいくつかありますが，ここでは問いについて考えることの重要性を述べていきましょう。哲学の試験の問いは一見，平凡に思われるかもしれません。どうかすると哲学を学ばなくとも答えられるように見えることでしょう。しかし実際はそれほど単純なものではなく，**少なくとも一つは哲学的問題を含む問い**なのです。だからこそ，どのような問いが含まれているのかを見極め，それについて検討することで，ようやく答えを提示することができるわけです。そのため，まずは「問題について考える」ことが重要なのです。

　そこですべきなのは，**テーマを理解し，分析すること**です。理解するとは，まず言葉の一般的な意味をつかむことです。そのとき，そこから思い浮かぶ具体的な例や経験を挙げて下さい。これは普通当たり前のようにされる解釈や常識程度の理解で構いません。なぜなら次に行なう分析でこのような一般的理解を覆してしまうからです。

　次にテーマを分析します。分析とは問いを主要な要素へと分解することです。そのためには，問いに含まれている哲学的な概念と手がかりを見つける必要があります。たいていの場合，明らかな哲学的概念が少なくとも一つ含まれています。同時にいくつかの暗黙の哲学的概念も隠れています。はっきりとは書かれていないタームや前提にも注意を払わなければなりません。その中から自分が注目する概念を取り出して，問いとして組み立て直すことにより，「問題が発見」されるのです。

　具体的に考えてみましょう。たとえばここでは，時間を「とらえる」の「とらえる」とはどういうことかを問題にすることができます。普通，辞書に載っているような意味での「とらえる」とは，理解するとか，把握するということです。時間を理解する……私たちは普通，時計によって時間を計ります（一般的な理解）。では，1秒，2秒と数えることが時間をとらえることなのでしょうか。数えるのとは別のとらえ方を探るのか，あるいはそもそも時間をとらえることなどできないと考えるのか……このとき私たちは普段何気なく使っている「とらえる」という言葉や，なんとなくわかっているつもりでいる「とらえる」という行為を改めて問い直すのです（分析）。これが問いを発見するということです。

　哲学の問題はたいてい，短く漠然としていますし，広すぎるように思えます。そのため，どのように論じたらよいのか戸惑ってしまうこともあるでしょう。けれども，問題を自分なりに解釈して，新しく問いを設定し直してしまって構わないのです。すぐれた問いを発見，あるいは作り

出すことができれば，レベルの高い論述を展開することができるでしょう。

キーワード解説

時間（[ラ]tempus, [英]time） 哲学においては空間とならび重要な概念である。古代より現代に至るまで多くの哲学者が時間にまつわる難問に挑んできた。ここではそのすべてを追うことはできないが，有名なパラドクスを紹介しておく。

　アリストテレスがゼノンの議論を次のように紹介している。いわゆる「アキレスと亀のパラドクス」である。「走ることの最も遅いものですら最も速いものによって決して追い着かれないであろう。なぜなら，追うものは，追い着く以前に，逃げるものが走りはじめた点に着かなければならず，したがって，より遅いものは常にいくらかずつ先んじていなければならないからである」（アリストテレス『自然学』第6巻第9章238b10–b20）。速いものが遅いものに決して追いつけず，追い抜くこともできないという主張は，私たちの経験知に反するものである。なぜこのような議論が成立してしまうのか，時間にかかわる大きな問いである。

持続（[仏]durée） ベルクソン独特の概念。たとえば時間を瞬間という点から再構成しようとするのではなく，連続した流れとして理解しようとする。上のパラドクスの例で言えば，アキレスが亀を追い抜けないのは，運動を空間に置き換えて，各瞬間へと分割可能なものとして理解しようとしたからである，とベルクソンならば答えるであろう。

著者紹介

アウグスティヌス（Augustinus, 354–430）

　北アフリカに生まれる。最大の神学者の一人。青年時代は女性や演劇に熱中したが，のちに哲学に目覚める。若い頃，マニ教に傾倒した時期もあったが，33歳で洗礼を受ける。その後はキリスト教教義の確立に努めた。本書で取り上げられているデカルト，ウィトゲンシュタイン，アーレントにも大きな影響を与えている。

アンリ・ベルクソン（Henri Bergson, 1859–1941）

　フランスの哲学者。高等師範学校（エコール・ノルマル・シュペリウール）に優秀な成績で入学し，教授資格国家試験（アグレガシオン）にも2位で合格した。リセの教師を務めたのち，1900年よりコレージュ・ド・フランスの教授となる。美しいフランス語で有名である。1928年ノーベル文学賞受賞。占領下のパリで没。

読書案内

【邦訳】
　アウグスティヌスについては，以下の著作が文庫版で出版されており，入手しやすい。
『告白』全3巻，山田晶訳，中公文庫
『神の国』全5巻，服部英次郎・藤本雄三訳，岩波文庫

ベルクソンについては，『ベルグソン全集』全9巻が白水社から出版されている（1965 – 2007年）。2010年から新訳が出ているが完訳されていないため，こちらの旧版が使いやすい。ベルクソンの著作を網羅している。

　入手しやすい文庫版は以下のとおりである。

　『意識に直接与えられたものについての試論』（ちくま学芸文庫，2002年）は入手しやすく読みやすい。純粋持続がテーマである。ちなみにこの著作は英訳を踏まえ『時間と自由』と呼ばれることもある。岩波文庫では『時間と自由』（中村文郎訳）というタイトルで出版されている。

　『思想と動くもの』『創造的進化』『道徳と宗教の二源泉』（いずれも岩波文庫）といった主要な著作はすべて文庫で出版されている。訳の古いものもあるが，手軽である。

【入門書】

出村和彦『アウグスティヌス──「心の哲学者」』岩波新書，2017年

アウグスティヌスについて知るには格好の入門書。彼の生涯を追いながら，彼の思想がどのように展開していくか，平易な文章で綴られている。巻末に文献案内も詳しく書かれている。

中村昇『ベルクソン＝時間と空間の哲学』講談社選書メチエ，2014年

初学者でもわかりやすい文体でベルクソンの思想が書かれている。ベルクソンが苦心して解く，ときに難解な彼自身の考えが，ベルクソン自身の挙げている例を手がかりに解きほぐされている。ベルクソン哲学の中でも持続について知りたい人におすすめ。

◎書いてみよう

<table>
<tr><td></td></tr>
</table>

◆コラム◆ 時間の謎

　時間をテーマにしたマンガやアニメ，SF小説，映画は数多くある。みなさんもおそらく一つや二つは思い浮かぶのではないだろうか。タイムスリップする話，時間を止める話，何度も同じ時点からやり直しをする話……等々。たとえば，映画『バック・トゥ・ザ・フューチャー』シリーズはタイムスリップがテーマになっているし，マンガの『ジョジョの奇妙な冒険』Part4にも時間をテーマにしたエピソードがある。

　今回，アウグスティヌスやベルクソンの考えに触れて，時間についてあれこれ考えてみた。それを踏まえて時間をテーマにした作品をもう一度鑑賞してみてはいかがだろうか。それぞれの作品における「時間観」「時間のとらえ方」が哲学的にどのようなものなのか，という視点から読んだり見たりしてみるのもまた楽しいことだろう。

10 言語
言語は何を表現しているのか？

　私たちは言語を使って様々なことを表現し，意思や考えを共有し，共同で社会や技術を構成し，その中を生きている。言語は私たちの生の媒体である。だが，言語が何を表現しているのかについては意外と問題である。いったい，言語は何を意味していて，私たちにどんな可能性をもたらしてくれているのか？　言語の意味とは，その表現で心に思い浮かぶ観念なのか，その表現が指し示す事物なのか，それとも，もっと別の，たとえばその表現の効果のようなものなのだろうか？

第 1 論考 ………………………………………………………言語の意味は観念である

　社会における快適なものや利益となるものは，思想の伝達なしには得られないだろう。したがって，人間は，自分の思想をつくるための目に見えない観念（ideas）を，他人に知らせることのできるような，外的な感覚可能な記号を発見する必要があった。この目的のためには，豊さの面でも迅速さの面でも，簡単で多様に構成できるあの分節された音ほど適当なものはなかった。〔…〕したがって，言葉の有用性は，観念の感覚可能なマークということにある。つまり，言葉の表わす観念こそ，言葉の本来かつ直接の表示対象なのである。

　人々がこうしたマークを使うのは，自分の記憶を補助するために自分自身の考えを記録しておくためか，あるいは自分の観念を自分の外に持ち出し他人の目の前に置くためである。つまり言葉は，その第一のあるいは直接の表示としては，言葉を使う人の心の中の観念を表わすだけである。

〔…〕

　言葉が使われるとき，本来かつ直接には話し手の心の中にある観念を表示するだけだが，それにもかかわらず，人々は，自分の思考の中で他の二つのことと秘かに結びつける。

　第一に，人々は，自分の言葉は，自分の心の中の観念のマークであるだけでなく，相手の心の中の観念のマークでもあると想定する。

　〔…〕第二に，人々はただ単に自分自身の想像を語るのではなくて，実在する事物について語ると思われたがるから，しばしば，自分の言葉が実在の事物を表わすと想定するのである。

(Locke, *An Essay Concerning Human Understanding*, Book III, Chapter ii.
ロック『人間知性論』第 3 巻第 2 章)

問い

1. ロックは，なぜ言葉は観念を表わしていると考えたのだろうか。

2. ロックの観念とは何だろうか。具体的な例を挙げて考えてみよう。

3. 事物，話者の観念，言葉，聞き手の観念の対応関係を保証しているのは何だろうか。

第2論考 ………………………………………………言語に観念は必要ない

　　私が自分自身について，自分固有のケースに関してだけ「痛み」という語が何を意味しているかを知っていると言うとき，——私は他のひとのケースについても同じことを言ってはならないのだろうか。それでは，私はどうやって一つのケースをそのような無責任な仕方で一般化できるのだろうか。

　　さて，あるひとが私に，自分自身に関してだけは，痛みが何であるかを知っている，と私に言うとしよう！——それぞれが箱を一つずつ持っており，その中にはわれわれが「カブトムシ」と呼んでいるような何かが入っている，としよう。どのひとも，他のひとの箱の中を見ることができず，どのひともただ自分のカブトムシを見ることによってだけ，カブトムシが何であるかを知るのだと言う。——ここで，それぞれが自分の箱の中に他のひとのとは異なるモノを持っているということが，ありえるだろう。それどころか，そのモノがたえず変容しつづけている，と想像することさえできるかもしれない。——だが，ここでもし，このひとたちの「カブトムシ」という語が一つの使われ方を持っていたとしたら？——そのとき，それは一つのモノを指し示すものとして使われているのではないだろう。その箱の中のモノは，そもそも言語ゲームの一部ではなく，そしてまた，一つの何かでさえない。なぜなら，その箱はカラであることさえありえるのだから。——いやむしろ，箱の中のモノはそれを通りこして〈短絡させる〉ことができるのだ。つまり，それが何だとしてもどうでもよくなってしまうのだ。

　　すなわち，感覚表現の文法を，〈対象とその指し示し〉というモデルに従って組み立てようとすると，その対象は無関係なものとして考察から外れてしまうのである。

(Wittgenstein, *Philosophische Untersuchungen*, §293,

ウィトゲンシュタイン『哲学探究』第293節)

1. 上の思考実験における「箱」「箱の中の何者か」はロックの議論における何にあたると読むことができるだろうか？

2. ウィトゲンシュタインはこの思考実験で何を主張しようとしていると受け取ることができるだろうか

3. いったい，言葉は何を表わしているのだろうか？

論述のコツ⑩　接続詞の使い方

　レポートは論理的に構成する必要があります。そのためには接続詞を正しく効果的に用いて，文と文を論理的につなぐことが重要です。

　接続詞には「かつ」「そして」「すなわち」「つまり」「したがって」「なぜならば」「しかし」「ただし」「むしろ」「たとえば」などがあります。こういった接続詞を上手に使いこなしている文書は主張が伝わりやすく，高い評価が得られます。逆に，接続詞をほとんど使っていなかったり，接続詞を誤って使っていたら，そのレポートがせっかく良いアイデアを表現しようとしていても，評価されることはないでしょう。

　レポートを作成する際に必ず使う接続詞は「したがって」「ゆえに」「なぜならば」でしょう。これらは「A。なぜならば B。」「B。したがって A。」のように，理由をつける場合に使う言葉です。レポートの主張には，ただ自分の立場を唐突に述べるだけでなく，必ずひとが納得する論理的な理由が必要でした。したがって，理由を説明する接続詞がないレポートには，あまり期待できませんね。

　次によく使われるのは，「すなわち」「つまり」「たとえば」など，説明を付加するときに使う接続詞でしょう。たとえば，「A。すなわち B。」なら，B は A の説明になります。「すなわち」は別の言葉で言い換えるとき，「つまり」は要点を説明するとき，「たとえば」は具体的な例を挙げるときに使います。自分のアイデアを言い換えたり具体例を挙げたりして丁寧に説明することは大切ですね。

　最後に，「または」「しかし」「ただし」「むしろ」について説明します。これらは，議論に別の視点を持ち込む接続詞です。A と B をこれらの接続詞でつなげてみましょう。「A しかし B」はA を却下して B に交換，「A または B」は A を残しつつ B の可能性を追加，「A ただし B」は A

に条件としてBを追加，そして「AむしろB」はAに新たな視点を付け加えてBに交換となります。いずれも，単線的，単眼的な主張に新しい可能性や視点を持ち込んで，検討の幅を広げていることがわかります。

　文章のプランを立てるときにも，接続詞を意識しながらストーリーを考えておくとよいかもしれませんね。接続詞を使いこなして，論理的に説得力のあるレポートを作成しましょう。

キーワード解説

意味（［独］Sinn，［英］meaning）　言語によって表現されているもののこと。ある言葉がわかるとは，その言葉の意味がわかるということであると言える。意味をまったく持たない記号は，言語とは言えない。この意味とはいったい何であるかについては，哲学者によってさまざまに意見が分かれる。意味とは，言葉の指し示している世界の中の存在者のことであると考える立場，話し手や聞き手の心の中にあるイメージのようなものと考える立場，あるいは，その言葉が用いられる意図や効果のようなものと考える立場ある。

　また，言葉の意味に限らず「存在の意味」「人生の意味」というように，価値的な内容を加えて，より広義に使われることもある。

言語ゲーム（［独］Sprachspiel，［英］language game）　言語とは，ルールに従ってプレイされるゲームのようなもの，というウィトゲンシュタインによって提示されたアイデア。言語は，何らかの対象や観念のようなものを指し示すという言語観に対して，後期のウィトゲンシュタインは，命令文や感嘆文，挨拶などの言葉に着目し，ゲームとしての言語というまったく異なる言語観を提示した。こうした新しい言語観は，知識や社会を必ずしも絶対的なものではなく，社会によって人為的に構築されてきたゲームとして批判・改善していくという，人文・社会研究における新しい潮流を理論的に支えるものとしてしばしば援用されている。

著者紹介

ルートヴィヒ・ウィトゲンシュタイン（Ludwig Wittgenstein, 1889 – 1951）
　第3章の著者紹介を参照。

ジョン・ロック（John Locke, 1632 – 1704）
　イギリス経験論の代表的な哲学者かつ政治学者。ピューリタンの家庭に生まれ，父は弁護士。オックスフォード大学で自然科学やデカルト哲学を学び，卒業後，議会派のシャフツベリ伯に仕えるも，王政復古後は反逆者としてオランダへの亡命を余儀なくされる。名誉革命後は，イギリスに帰国して新政府の要職に就いた。認識論の古典的哲学書『人間知性論』のほかに社会契約の考えを説いた『統治二論』，政教分離（国家と教会との分離）の思想的基礎づけを試みた『寛容についての手紙』など，様々な著作を残した。

読書案内

【邦訳】
『人間知性論』
第14章の読書案内を参照

『哲学探究』藤本隆志訳，大修館書店，1976 年

『哲学探究』はウィトゲンシュタインの哲学を示す中心的なテキストとされている。ウィトゲンシュタインは，1922 年の『論理哲学論考』の出版以来，自分の哲学をまとまった形で出版することはなかった。だが，ウィトゲンシュタインの死後，本人によって出版に向けて入念に準備された原稿が見つかり，遺稿管理人たちによって出版されたのが『哲学探究』である。『哲学探究』は，「言語ゲーム」という新しい言語観をてこに，知識や社会，自己について新しい観方を提示するテキストとして読まれ，20 世紀の学界全体に，非常に大きな影響を及ぼした。『哲学探究』は，多くの卓抜した比喩を含み，読者を思考に導く独特の意図と文体で構成されており，読解には 3 章や 5 章で紹介した飯田，永井，鬼界らによる解説書を手がかりにするとよいだろう。

【入門書】

橋爪大三郎『はじめての言語ゲーム』講談社現代新書，2009 年

社会学者によるウィトゲンシュタインの「言語ゲーム」概念の解説と展開。ウィトゲンシュタインの生涯や『論理哲学論考』の前期哲学についても触れている。ウィトゲンシュタインや哲学の専門研究ではなく社会学者の観点から，微妙なニュアンスはそぎ落とされて非常に明快に，「言語ゲーム」概念がどこから来たか，どんな論点があるか，どんな可能性があるかを解説している。「言語ゲーム」という着想が，哲学や言語学の枠を越えて，社会や文化の分析にどのように生かされるかを知るよい手がかりになるだろう。

イアン・ハッキング『言語はなぜ哲学の問題になるのか』伊藤邦武訳，勁草書房，1989 年

20 世紀は，「観念」を中心にした認識論が重要であった近世・近代哲学に対して，「意味」を中心にした言語論の哲学の時代であると言われることがある。デカルトやロックは観念を中心に哲学を展開した代表的哲学者であり，ウィトゲンシュタインは言語の時代を切り開いた哲学者の立役者の一人である。ハッキングのこの本は，こういった近代から現代哲学への流れを，言語の意味をめぐる多くの哲学者たちを取り上げながら解説している。言語の問題を入口にして現代哲学・現代思想への理解を深めてみようという人には，よい見通しを与えてくれるだろう。

◎書いてみよう

─ コ ラ ム チューリングテスト ─

　チューリングは，人間とチャットをして，人間からコンピュータであると見破られないコンピュータができれば，人間並みの知性を持った人工知能の完成と考えた。インターネット上の掲示板やSNS，メッセージには多くの書き込みがあるが，皆さんはそのどれが人間によるものでどれが人工知能（「ボット」と呼ばれる）によるものか判定できるだろうか？　いずれにせよ今後，人工知能の発達によって，ますます判定が難しくなっていくことは間違いないだろう。こうした人工知能は，言葉を使っているのだから心があって観念を持っていると言うべきだろうか？　それとも，心もなく観念もなく，言葉を使えているように見えるだけで，実際には言葉を使っているように見えるだけだろうか？　あるいは，心はなくとも言葉を使用していると考えるべきだろうか？

11 芸術
芸術作品の美しさは万人共通だろうか？

　芸術作品と言ったとき，どのようなものを思い浮かべるだろうか？　それは「美しい」作品だろうか？　そしてその美しさは誰にとっても共通のものだろうか？　考えてみよう。

第1論考··美しさは万人共通

　快適なものについては，誰もが次のことをわきまえている。すなわち，自分の判断は個人的感情に基づいており，そのうえである対象について自分が気に入ると言うのであって，単にその個人に制限されている，と。したがって，ある人が「カナリア諸島産のワインは快適である」と言うとき，他の人がこの表現を訂正して，「このワインは私にとって快適である」と言うべきだと注意しても，その人はまったく不満を持たない。〔…〕それゆえ，快適なものについては，各自がそれぞれ固有の（感官の）趣味を持つという原理が当てはまる。

　美しいものについては，まったく事情が異なる。もし自分の趣味を多少なりとも自負している誰かが，この対象（私たちが見ている建物，あの人が着ている服，私たちが聞いている演奏会，批評のために提出された詩）は私にとって美しいと言って正当化しようとするのであれば，（まったく逆に）それは笑うべきことであろう。というのも，あるものがその人だけの気に入っているにすぎないのならば，それを美しいと呼んではならないからである。その人にとって多くのものが魅力や快適さを持つかもしれない，誰一人これを気にかけることなどしない。しかし，彼があるものを美しいと呼ぶならば，彼は他の人々にもまさに同じ満足を期待している。彼は自分に対してのみ判断しているのではなく，あらゆる人に代わって判断しているのであり，この場合，美についてまるでそれが事物の性質であるかのように，語っているのである。それゆえ彼は，この事物は美しいと言うのだ。その場合，彼が満足についての自分の判断に他の人たちも一致することを当てにするのは，彼らが彼の判断に賛成してきたのをたびたび認めてきたという理由からではない。彼はむしろ，他の人たちにこの判断を要求する。

(Kant, *Kritik der Urteilskraft*, Erster Teil. Erster Abschnitt. Erstes Buch. §7,
カント『判断力批判』第一部第一篇第一章§7)

問い
1. ここで美しさに対置されているのは何であり，どのような点が美しさと異なるのか，考えて

みよう。

2. なぜ個人的趣味から「美しい」と言ってはならないとカントは考えているのだろうか？

第2論考 ⋯⋯⋯⋯⋯⋯⋯⋯⋯⋯⋯⋯⋯⋯⋯⋯⋯⋯⋯⋯⋯⋯⋯⋯美は人間を救う

　　そして，私としては，その光〔＝詩と音楽についての考察〕に照らされて，カントが非常に
はっきりと思い描きながら，しかもこれほどの賢者がおそらくはその人間の弱さゆえに評価
しなかった奇妙な考えを，発見することができたと思う。それは，美とは心地よいものでは
ない，という考えだ。詩と，とりわけ音楽を通じて私は，芸術作品について，気に入るもの
よりもむしろ，人間を解放し，人間の位置に戻してくれるものを評価することを学んだよう
に思う。

　　ここで私が言いたいのは，美的感情とは虚構の可能性が高いということだ。行動や推理か
らではなく，観想に由来する一種の浄化作用によって美しくなるのは，愛，野心，守銭奴と
いった私たちの感情である。人は，むなしさやけだるさといった感情の中では美に近づいて
いかない。反対に，情念があまりにも重くのしかかったときに，死ぬのではなく感じる術を
学ぼうと美に近づくのである。そこで芸術が救済手段にならないようなら，芸術は死ぬのだ
ろうし，実のところ，芸術はしばしば死んだのである。自分自身の作品となるであろう何ら
かの差し迫った不幸や，何らかの想像上の苦痛や，何らかの重すぎる後悔の念を感じない人
は，すでに観客となっていて，これから観客になるのではない。その人が美しい対象から期
待するのは，宙に浮いた，あるとしても間違いなくきわめてかすかな，奇異と紙一重の，何
か純粋な感情である。美を求める人がすでに浄化されているとしたら大いに不都合だと言っ
ておこう。私見によれば，当人がまずもって不幸の動きにとらえられ，不幸が何らかの極度
の恐ろしさに至るのではないかと思わなければ，美を称賛することも創造することもできな
い。つまり，美とは感情の中身を持たねばならないのだ〔…〕。

　　　（Alain, *Vingt leçons sur les beaux-arts, Troisième leçon*, アラン『芸術についての二十講』第三講義）

問い

1. 人間はどのようなときに「美」を必要とするとアランは考えているだろうか？

2. 「美」と「快適さ」の対比について，カントとアランの考え方をまとめてみよう。

論述のコツ⑪　議論の組み立て方

　フランス式論述においては，議論がきちんと組み立てられているかどうかが評価されます。そのためには，以下に説明するように，理由を書くことや読み手を説得しうるような根拠を示すことが重要となってきます。そのとき注意してほしいのは，あなたがどのような意見や考えを持っているかどうかを読み手は評価するわけではないということです。議論が説得的であるかどうかが評価のポイントとなります。

　読み手にとって評価の高い議論とは，読み手が持っている思想信条と一致するかどうかではなく，理由や根拠を挙げられているかどうか，しっかりとした構成を持っているかどうか，そして議論の順序が守られているかどうかなのです。

　議論は大まかにいって二つ，あるいは三つのパートから成っています（→第6章参照）。パートが二つであれ三つであれ，自分が主張したい考えを最後に持ってくることが一番のコツです。日本ではどうしても論述の際に自分の意見ばかり書く傾向にあります。しかしそれでは議論が一本調子になり立体的になりません。自分とは異なる考え，反対意見に目配りすることが重要なのです。繰り返しますが，ここで言う「自分が主張したい考え」にあなたが心から賛同していたり，そのような気持ちを持っていたりする必要はありません。極端なことを言えば，あなたの気持ちと正反対の主張を「自分が主張したい考え」としても構わないのです。重要なのはその考えを説得的に述べられるかどうかです。

　さて，「自分の主張」を説得的に述べるためには，何が必要でしょうか。二つのパートで議論を構成する場合は，一般的に解されている意見や自分と反対の立場の人が述べそうな意見から書き始めます。そのとき，その意見の根拠となっている理由や具体例などを忘れずに述べてください。つまり自分とは異なる意見であるが，その意見にも何らかの正当性があることを示すわけです。次に，その意見の弱点を述べながら自分が支持する考えを理由とともに展開していきます。

　三つのパートで議論を構成する場合は，第6章でも述べたように，テーゼ→アンチテーゼ→ジンテーゼの順に論述していきます。自分の考えはジンテーゼに位置づけてください。

　どちらの場合も下書きの段階でどのような順序で論じていくのか，十分に構成を練ってください。先に構成について考えておくことが，重要です。

キーワード解説

判断力（[独]Urteilskraft，[英]judgement）　一般的には物事を正しく判定する能力のことを言う。ただしカントによれば特殊が普遍の一つの事例であるかどうかを判定する能力のことを指す。判断力は，以下のように規定的判断力と反省的判断力に分けられる。

規定的判断力：理論理性（悟性）の判断力と実践理性の判断力

反省的判断力：美学的判断力（快不快によって主観的に判定）と目的論的判断力（悟性と理性によって客観的に判定）

趣味（[独]Geschmack，[英]taste） 日常的には趣味といえば，自分の好きなこと，気晴らしや楽しみとして愛好する事柄を指すが，カントによれば，趣味とは美を判定する能力のことである。この独特の用法には注意が必要である。

著者紹介

アラン（Alain，1868−1951）

本名はエミール・シャルティエというフランスの哲学者。19世紀以降の哲学者としては珍しく，リセ（高校）の教師として教鞭をとる。彼の授業は評判がよく，教えていたアンリ4世高校の教室は聴講生であふれていたという。生徒の小論文には丁寧に朱を入れていたそうである。第一次世界大戦に進んで従軍し，塹壕の中で執筆を続けていた。新聞に連載していた『プロポ』には今も根強いファンがついている。

読書案内

【邦訳】

カント『判断力批判』篠田英雄訳，岩波文庫，1964年

古い訳だが入手しやすいのはこの文庫版である。一番新しい訳としては熊野純彦による**『判断力批判』**（作品社，2015年）がある。

以下の2著作と合わせて三大批判書と呼ばれる。どちらも文庫版で二つのバージョンが出ている。中山元訳は日本語として読みやすく，解説が充実している。

篠田英雄訳**『純粋理性批判』**（上・中・下）岩波文庫，1961−1962年

中山元訳**『純粋理性批判』**（1−7）光文社古典新訳文庫，2010−2012年

波多野精一・宮本和吉・篠田英雄訳**『実践理性批判』**岩波文庫，1979年

中山元訳**『実践理性批判』**（1−2）光文社古典新訳文庫，2013年

第6章のカントの項も参考のこと。

新装版の**『アラン著作集』**全10巻（白水社，1981−1982年）にアランの主要な著作がまとめられている。アランの芸術論については**『芸術論20講』**（長谷川宏訳，光文社古典新訳文庫，2015年），**『芸術の体系』**（長谷川宏訳，光文社古典新訳文庫，2008年）があり，どちらも入手しやすい。読みやすい訳でおすすめ。

【入門書】

＊アランについて

米山優『アラン『定義集』講義』幻戯書房，2018年

アランが定義する様々な言葉を丁寧に読み解いていく。著者の講義が目の前に立ち現われるような臨場感がある。アランについてだけではなく，哲学すること，人生の様々な問題について考えることも学ぶことができる。

＊芸術あるいはアートについて

佐々木健一『美学への招待 増補版』中公新書，2019年

美学とはどういう学問か，そしてそもそも「美」とは何かについて丁寧に論じられている。身近な事例が挙げられているため，美学や哲学の素人であってもとっつきやすく，また考えるヒントがたくさんある。同じ著者の『**タイトルの魔力**』（**中公新書，2001 年**）は，紙の版は絶版だが Kindle 版では入手可能。こちらも面白い。

◎書いてみよう

───**コラム** 美術館へ行ってみよう───

　みなさんは美術館へ足を運ぶことはあるだろうか。日本で催される展覧会は薄暗く，撮影も禁止で，どこか堅苦しい印象がある。けれども，たとえばパリのルーブル美術館やオルセー美術館，フィレンツェのウフィッツィ美術館などは，フラッシュこそ禁じられているが自由に写真撮影できたり，自然の光が差し込む空間で展示がされていたり，随分と雰囲気が違う。機会があればぜひ海外の有名美術館を訪れてみてほしい。もう一つおすすめなのが，現代美術の展覧会を見てみることである。佐々木芽生監督の『ハーブ＆ドロシー──アートの森の小さな巨人』というドキュメンタリー映画がある。現代美術作品収集に情熱を燃やしたアメリカ人夫婦の姿が描かれている。決して裕福ではない二人が独自の基準で作品を買い集めていくのだが，じっくりと作品を眺める姿が印象的である。歴史的評価が定まっている美しい作品ではなく，自分の感覚で自分が心地よいと感じる作品を探しに展覧会へと行ってみるのはいかがだろうか。

12 労働と技術
労働と技術はどのような関係性にあるか？

第 1 論考 ……………………………………………………………工場労働の記録

　作家の高橋源一郎氏が，ある文化人類学者との対談の中でこう述べている。──「ぼくが
いいなと思う人や言葉って女性やマイノリティ，弱者，そしてそこから発せられたものが多
いんです。男性，マジョリティ，強者の言葉はだいたいつまらない。〔…〕エリートの言葉は
胸を打たないし，説得力がない。マイノリティの度合いが強いほど言葉に強度がある。典型
的なのが，女性でしかもユダヤ人の哲学者だったハンナ・アーレントです。少数派に属する
人間には，多数派の人間よりずっと社会の矛盾が見えているからでしょう」（高橋源一郎＋辻
信一『「雑」の思想──世界の複雑さを愛するために』大月書店，2018 年，38 頁）。

　女性でかつユダヤ系，しかも「社会の矛盾」を見つめていた思想家としては，ほかにもシ
モーヌ・ヴェイユの名を挙げることができるだろう。第一次世界大戦勃発の 5 年前にパリ
で生をうけ，第二次大戦終結の 2 年前にロンドンでこの世を去った人物である。では，彼
女が目の当たりにした「社会の矛盾」とはどのようなものだったのか。

　ヴェイユは，『工場日記』の断片において，大工場の特徴をこう書き記す。「大工場になら
どこにでも見られる，なかなか適応できるようになれない一面。おそろしいような工具の量。
機械が専門化していること。あまりたくさんの機械があると，機械がほんの少ししかないの
と同じような具合に，すべてはすぎて行く」。本テキスト 19 ページのコラムでも取り上げ
られていたチャーリー・チャップリンの喜劇映画『モダンタイムズ』がアメリカで公開され
たのは 1936 年であるが，ヴェイユが工場で働いていたのもほぼ同じ時期である。教育熱
心な家庭に生まれ，高等中学アンリ 4 世校在学中に 16 歳でプラトンとバルザックを，17
歳ではカントとホメロスを，そして 18 歳でマルクス・アウレリウスとルクレティウスを読
んでいたという早熟の文学少女にとって，大工場とは目もくらむような場所だったことだろ
う。ただ，そこは哲学者アランの薫陶を受けただけのことはあり，ただ単に圧倒されるだけ
では済ませず，彼女はこう考察するのである。「近代的な大工場の技術*と組織とは，大量生
産と密接な関連があるばかりでなく，外的な形式を明確にするという点とも関連がある。いっ
たい，一つの機械が作り上げるのと同じような正確さで部品を作り出すことのできる職工が
いるだろうか。それでいて，とくに専門化された機械は，量産しないかぎり，非常に高くつ
くものなのである」。

のちの著者紹介の項でも記すように，ヴェイユは教職に就いていた1934年に，学校を1年間休職し，工場で働くことを自ら選択している。未熟練工として，四六時中監視され，ときには怒鳴られる出来高払いの女工だったという（日本にも『女工哀史』というルポルタージュがあるが，それは1925年の刊行である）。そのような過酷な状況のさなか，彼女は「職工の仕事には，職人的な一面があること。研究にあたいする」と述べたうえで，こう書き綴っている。「たとえば，プレスの組立て工は，ねじ一つ締めるのにも，それによって機械に望ましい変化が与えられ，決してそれ以上の変化を加えたりしないようにすることができる能力を持っていなければならない（例として，わたしの部品が一〇〇個オシャカになったこと）。いろいろとやってみる時にも，当て推量で仕事を進めるのである。そして，それはもちろん，指先でまさぐりながらの仕事になるはずである」。

　そもそもヴェイユが工場での就労を選んだのは，彼女が文部省に提出した申請書の文言を借りれば，「重工業の基礎である現代技術と，現代文明の本質的諸相との関連について，すなわち一方では現代の社会的機構，他方では現代文化との関連について，哲学の学位論文の準備をしたい」からであった。だからこそ，彼女は働きながらつねに労働を問うている。たとえば，以下のように。

　「コンラッド〔ポーランド出身の英国の作家。仏，英の貨物船に船員として乗組み，海に題材をとった小説を多く残した〕の場合，真の船乗り（もちろん，かしらでなくてはならないが……）とその船との結びつきは，それぞれの秩序が，まるで一気に天から下ってきたようであり，ためらいも不安もなしにやってきたもののようである。そこには，熟慮反省や，奴隷的な労働とは，まったくちがった注意力のシステムがあるような気がする。

　疑問。

　一，労働者とその機械との間にも，時にはこのような結びつきがあるのだろうか（それを知ることは困難だ）。

　二，このような結びつきの条件は何か。

　　(1)機械の構造にあるのか。

　　(2)労働者の専門的教養にあるのか。

　　(3)労働の性質にあるのか。

　このような結びつきこそ，完全な幸福の条件であることは明らかである。この結びつきがあってのみ，労働は，芸術とひとしいものになる。」

(Simone Weil, Journal d'usine,
シモーヌ・ヴェイユ『工場日記』ちくま学芸文庫，190-191頁，223頁)

問い

1. ヴェイユが記す大工場での労働の特徴とはどのようなものだろうか。考えてみよう。

2. 労働が芸術とひとしいものになるとは，どういうことだろうか。具体的に考えてみよう。

哲学教師の職を一時なげうち，工場労働の過酷な現場へとその身を投じたヴェイユ。同じ時期に亡命ユダヤ人としてパリの「青年アリヤー」という(ユダヤ人の青少年らのパレスティナへの移住を援助する組織の)事務所で働いていたのが，第4章で私たちがその文章を読んだ，アーレントである。ともに専門的に哲学を修めながらも，あえて哲学教師や研究者としてとどまる道を選ばなかった二人の女性の文章には，とはいえどこか違いがあるのだろうか。読み比べてみよう。

第2論考 ·····································オートメーションの技術

　ヴェイユが工場日記を書き留めていた時期からおよそ四半世紀が経過した1960年に，アーレントは『活動的生』という著作をドイツ語で刊行している。2年前に英語で出版された『人間の条件』のドイツ語訳に彼女自身が手を入れたものであるが，その第17節「消費者社会」で，彼女は「オートメーション」を問うている(なお，以下の引用の直前で，アーレントはヴェイユについて言及し，注では彼女の著書『労働の条件』について，「労働問題に関する膨大な文献のなかで唯一無比の書であると言っても過言ではない」と評している)。

　「しかしながら，ここ数十年の発展，とりわけオートメーションの開始とその空想じみた可能性，を眺めるにつけ，昨日のユートピアは明日の現実として正体を現わすのではないかとの疑いが，ことによると頭をもたげてくる。あげくの果ては，人間の生をその生物学的循環に縛りつけていたはずの労苦と労働が何一つなくなってしまい，口を開けて食い物をむさぼり喰らうという消費の「努力」しか残らなくなるということにもなりかねない」。

　冒頭に「しかしながら」とあるのは，その直前でマルクスの**「労働からの自由解放とは，必然からの自由解放と同じことであり，そのような最終的自由解放が意味するのは，とどのつまり，人間が消費の必然からも解き放たれ，それゆえ人間と自然との物質交替から総じて解き放たれて自由になる」**という考えが俎上に載せられているからである。マルクスは2018年に生誕200年を迎えた，資本主義という経済体制を問いただし，労働者らによる革命を説いた思想家であるが，アーレントは(私たちが第4章で読んだ『全体主義の起原』刊行後に)マルクス研究に集中していた時期があり，その成果が本書の記述においても活かされているのである。

　そして，アーレントはこう続けている。**「迫りくるオートメーションの時代が危険なのは，機械化と技術化によって自然な生が脅かされるからではない。むしろはるかに重大なのは，まさしく人間の「技術」が，またそれとともに人間の真の生産性が，途方もなく増強された生命プロセス[*]にあっけなく呑み込まれ滅び去ってしまいかねないという，こちらの問題のほうなのである」。**彼女の「オートメーション」に対するこの警告を，およそ60年後の時代を生きる私たちは笑って済ますことができるだろうか。大量生産・大量消費の時代を経て，リーマン・ショックといった世界的な金融危機にもいくどか見舞われた今世紀の私たちにとって，彼女が以下で鳴らしている警鐘は腑に落ちる面があるのではないか。――「その場

合，生命プロセスは，自動的に，すなわち人間の労苦と努力をもはや要することなく，
生命の自然な永遠回帰的循環をいっせいにグルグル回転するのみであろう。自然的な生命の
リズムはその場合，なるほど，途方もなく増強され，それに応じて，並外れて「より多産的」
となることだろう。なぜなら，生命のリズムは，機械のリズムによってたえず駆り立てられ，
どんどん加速させられるからである。だが，このように機械化され動力化された生命もまた，
世界に関するその根本性格を変えはしないだろう。多産性が空しさに取って代わることはな
いのだから。その生命プロセスにできることといえば，世界を形づくる物を途方もなく迅速
かつ猛烈に片っ端からむさぼり喰らい，かくして世界に固有な永続性を破壊することのみで
あろう。」 (Arendt, *Vita activa*, アーレント『活動的生』みすず書房，155 – 157頁)

問い

1. アーレントはオートメーションの脅威をどのような点に見てとっているだろうか。彼女の考
   えをまとめてみよう。

2. AIに代表される現代の技術は，人間の労働をどう変えてゆくだろうか。ヴェイユやアーレ
   ントの考えを参考にしながら，自分で考えてみよう。

論述のコツ⑫　理由の書き方

　そもそもなぜ哲学の論述には理由が必要なのでしょうか。

　たとえば，自然科学であれば**実験**という方法があります。ある仮説のもと行なわれた実験結果
は，それが再現可能であれば，有無を言わせぬ証拠となる。iPS細胞は，なぜ特定の4因子を加
えると細胞の初期化が起こるのか，その理由はまだわかっていないと言います。でも，実際に初
期化できるという事実があるから，世紀の大発見となったのです。

　ほかにも数学であれば，**証明**という方法があります。これも，その証明が成功していたら，数
学上の真理を解明したことになるでしょう。たとえばスピノザという特異な哲学者は，自身の「倫
理（エチカ）」を幾何学的秩序（公理体系）で著わしたので，彼は「証明」という言葉を使いました。

　もうおわかりかもしれませんが，哲学はこのような実験や証明という客観的な手段を一般的に
持たないわけです。だから，自分の考えをほかの人々に認めてもらうためにはそれ相応の理由が
必要になってきます。つまり**論証**ですね。では，説得力のある理由はどう書いたらいいのか。

　たとえば「志望理由」を書くとき，みなさんはどうしますか？　一つの理由だけで押し通す人
はあまりいないと思います。なぜ，その大学（会社）なのか複数の理由を挙げるのではないでしょ
うか。哲学の論述も同じです。より多くの理由が書かれている方が，そのぶん，より説得力は増
すはずです。その際，理由は読み手に「なるほど，たしかに」と思ってもらうのが目的だという

ことを意識してください。つまり，**理由は自分のためではなく，他人のために書くのです。**相手の立場に立って，自分の考えが受け入れやすいように書かなければなりません。そういう配慮がないと，単にひとりよがりな理由づけとなるので注意しましょう。

「論より証拠」という言葉もあるように，自分一人の力で理由を書くのが難しかったら，自分の考えを補強してくれる先人の文章を参照・引用してもいいでしょう。その点で，本テキストに収録されている様々な哲学者の文章は，きっと論証の役にも立つはずです。

キーワード解説

労働（[英]labor，[独]Arbeit，[仏]travail） 「アルバイト」という語でお馴染みのこの概念は，近現代の思想において重要な争点の一つでもあったが，ここでは以下の点のみを指摘しておこう。ナチス（国家社会主義ドイツ労働者党）の強制収容所の入り口に「働けば自由になる」というスローガンが掲げられていたように，この概念は全体主義と親和性がありそうなのである。アーレントが「生み出してもすぐに消費される」労働と「耐久性があり世界を形づくる」仕事（work）との区別にこだわったのもそれゆえ。違法に使い棄てられるブラックバイトにはくれぐれも要注意！

技術（[英]technology，[独]Technik） テクノロジーは19世紀に普及したという点では，新しい概念である。産業革命での新たな機械技術の登場や自然科学と技術の結合による「科学技術」が生まれたのもこの時代だからだ。とはいえ，「解答のテクニック」とも言うように，いわゆる技（わざ）や術（すべ）という意味も技術にはあり，これはギリシア語のテクネーを語源とする古い概念でもある。

生命プロセス（[独]Lebensprozeß，[英]Life process） イタリアの政治哲学者アガンベンの使用によって有名になった概念区分に「ビオス bios／ゾーエー zoe」があり，前者が〈生〉の「人間的側面」を，後者はそれの「生物・動物的側面」を指す。アーレントがここで述べている「生命」とは後者のことであり，その生は自然の循環プロセスから逃れることができない。

著者紹介

シモーヌ・ヴェイユ（Simone Weil, 1909 - 1943）

フランスのパリでユダヤ系医師の家庭に生まれる。3歳年上の兄，アンドレ・ヴェイユはのちに世界的な数学者となった。フランスきっての名門高等中学アンリ4世校（リセ）では『幸福論』の著者として知られる哲学者アランに学び，高等師範学校卒業後の1931年に高等中学校の哲学教師となるものの，工場労働者の実態を探るべく1年間の休暇をとり，アルストン，ルノー等の工場で働く。ヨーロッパ各国が2度目の世界大戦へと徐々に巻き込まれてゆく中，彼女自身も体調を崩すようになり，1943年に34歳で夭逝。パスカルの『パンセ』を思わせる箴言集『重力と恩寵』は，戦後の宗教・哲学書のベストセラーとなった。

読書案内

【邦訳】

『工場日記』田辺保訳，ちくま学芸文庫，2014年
工場での日記とその折々に記された断片的なメモ，および書簡の抜粋から成り，ヴェイユの生の言葉

に接するのに最適な一冊。

『重力と恩寵』冨原眞弓訳，岩波文庫，2017 年

モンテーニュやパスカル，そしてロシュフコーに彼女の師・アランへと続く，フランスモラリストの系譜にも位置づけられるヴェイユの代表的著作。断章形式のため拾い読みができ，彼女の文章に接しやすい。

『活動的生』森一郎訳，みすず書房，2015 年

高価かつ重厚な本なので購入には二の足を踏むという人には，本書の英語版である『人間の条件』（志水速雄訳，ちくま学芸文庫）をすすめる。2020 年 5 月時点で実に 37 刷というロングセラー。

【入門書】

福間聡『「格差の時代」の労働論——ジョン・ロールズ『正義論』を読み直す』現代書館，2014 年

労働を「正義」という観点から論じる清新な入門書。本テキストでは扱わなかったロールズの『正義論』がどれだけ重要な哲学書なのかがよくわかる。

小林雅一『AI の衝撃——人工知能は人類の敵か』講談社現代新書，2015 年

AI（人工知能）は近い将来に人間の仕事の多くを奪ってしまうのではないかという AI 脅威論を最近よく目にするようになったが，本書はそれにいち早くかつ的確に応答しようと試みた本。

◎書いてみよう

（空白の記入欄）

　ここまで本テキストを読み進めてきて，勘のいい人であれば，こう思ったかもしれない。「哲学者って男ばかりだな……」。本章で取り上げた前世紀のヴェイユとアーレントは例外中の例外で，古代から近代までの哲学の歴史の中で女性の哲学者は皆無である。ちなみに，アーレントは何度も「私は哲学者ではありません」と言ってはばからなかった。まるで「哲学者」という言葉を忌み嫌うかのように。それにしても2500年にも及ぶ哲学の歴史において，女性の哲学者がいなかったのはなぜだろう。女性哲学研究会というグループが編んだ『女の哲学──男とはなにか？　人生とはなにか？』（PHP研究所）という本の帯には，この問いに答えてこう書いてある。「彼女たちの仕事を男たちがきちんと評価しなかっただけです」。なかなか痛快な解答だけれど，女性と哲学はなぜこれほど折り合いが悪い（悪かった）のか，一度は真剣に考えてみるべきなのかもしれない。

13 歴史

歴史的出来事を語るとは, どのようなことなのだろうか？

　プラトンの『クリティアス』は, ここで紹介しているように, アトランティス大陸についての言及がなされていることでも有名だ。この対話篇は, 宇宙創成のミュートス(物語)が語られる『ティマイオス』に続く対話篇である。前日にティマイオスがそのような話をしたことを受けて, この日はクリティアスが過去に存在したアトランティス大陸やそれにまつわる伝承を語るという展開になっている。

第1論考 ··アトランティスを物語る

クリティアス「〔…〕というのも, 僕にはおおよそわかっているのだ。昔, 神官たちによって述べられ, そしてソロンによりこの地へと伝えられた物語を, はっきりと思い出しそして物語るならば, 自分の務めをよく果たしたと, この場で話を聞いてくれるあなたたちに思ってもらえるだろうということはね。それで, このようなことになったのだから, 自分の務めを果たさねばなるまい。これ以上, 先に伸ばすわけにはいかないだろうから。

　まず何を思い出さねばならないかといえば, ヘラクレスの柱の向こうに住む人々とこちら側に住む人々との間に戦争が起きたと語り伝えられてから9000年もの年月が経っているということだ。この戦争について, これから語っていかねばなりますまい。

　さて, 人々が言うところでは, アテナイの国は, 片方の軍勢の指揮を執り, そして戦争の終結まで戦い抜いたのだった。それに対して, アトランティスの島の王たちが相手方を支配していたと言われている。この島は, 言い伝えによれば, リビア〔注：アフリカのこと〕やアジアよりも大きな島だった。しかし, 今となっては地震によって大海の底に沈んでしまい, 泥土と化してしまっている。そのため, この国から海へと乗り出す船乗りたちの行く手を遮り, 彼らの航海を妨げる障害となっている。

　なお, 多くの異民族のことやギリシアの人たちのことについては, あたかも巻物が広げられていくように話が進んでいくにつれ, その都度ひとつひとつの出来事について明らかにしていくこととする。まず話しておく必要のあることは, 当時のアテナイの人たちのことと, 彼らと敵対していた者どものこと, つまりそれぞれの国の力とそれぞれの国政や制度のことである。その中でも, まずアテナイのことを何よりもまず述べておかなければなりますまい。」

(Plato, *Critias*, 108d-109a, プラトン『クリティアス』)

問い

1. クリティアスは，誰から聞いたどのような話を，これから聴衆に向けてしようとしているのか，まとめよ。

2. 冒頭の『クリティアス』についての紹介や，問1を踏まえつつ，神官から聞いた伝承を歴史として扱うことが妥当かどうかを，神話や伝承といったものが歴史とどのような関係にあると言えるかについての考察をしたうえで，述べよ。

　プラトン『クリティアス』を扱いながら，歴史が物語や伝承とどのような関係にあるだろうかという問いについて考えた。次に，アナール学派*の歴史学者であるル＝ゴフの時代区分に関する考察を参照しつつ書かれた文章を読みながら，歴史の連続性について考えていく。

第2論考 ··歴史の連続性と時代区分

　「歴史」というものについて，ある時代にある出来事が起きたといった史実を，それが起きた時代順に並べ，キリのよいところでそれを区切り，その前後を異なる時代として区分したものであり，そのような歴史区分は，「歴史」においては最初の前提として存在しているという認識を持っている人は，世の中には案外と多いのではないだろうか。それに対して，「歴史」というのはそのようなものではないとするような考え，つまり時代区分に関して批判的な立場から「歴史」について考える人は，少ないように思われる。

　アナール学派の歴史学者であるジャック・ル＝ゴフは，『時代区分は本当に必要か？』という本の中で，次のように述べている。「**時代区分が日常生活に入り込むのはかなりたってのことだ。18，19世紀に文学ジャンルとしての歴史が教科書科目に変化したとき，時代区分は欠かせないものとなった。人類は，みずからの真価を包んでいる時間を支配したいという欲望，必要性を抱いている。時代区分はそれに応えるものなのだ。**」

　ル＝ゴフが述べているように，時代区分は，文学ジャンルから教科書科目へと歴史が変化したことにより，日常生活に入り込むようになったものであると言えよう。そうであれば，時代区分というものは，「歴史」における最初の前提でもなければ，実在する何かというものでもなさそうである。

　ル＝ゴフは，時代区分について，「**時代区分が正当化されるのは，歴史を科学たらしめるような要素によってである。歴史は，精密科学ではないにしても，原史料と呼ばれる客観的基盤に立脚した社会科学になりうるのだ。ところが，史料がわれわれに提示するものは，動きであり，変化である**」とも述べている。これは，ハッキングが『知の歴史学』において「フランスの歴史学の流派には二つの極がある。アナール学派が取り組んだのは，長きにわたる

歴史の連続性，ないしゆっくりとした変化であった」と指摘していることでもある。すなわち，歴史というのは，時代区分によって区切られていることが前提となっているものではないということであろう。それは，そもそも歴史学が社会科学たりえるために立脚している基盤である史料が私たちに動きや変化を提示するものであるとされることからも明らかであるといえるだろう。

　そして，このような時代区分に関する考察は，歴史が物語られるとはいかなることかといった問いや，フーコー*における系譜学あるいは知の考古学*のようなアプローチからの考察にも，関わってくるものであろう。

(Jacques Le Goff, *Faut-il Vraiment Découper L'histoire en Tranches ?*,

ジャック・ル＝ゴフ『時代区分は本当に必要か？』183 - 184 頁)

問い

1. この文章において，歴史区分とはどのようなものであるとされているか。

---

2. あなたは歴史を区分する立場と歴史の連続性を重視する立場のどちらに与するか。論じよ。

論述のコツ⑬　具体例の挙げ方

　「具体例を挙げるとは，たとえばどういうことなのだろうか？」と疑問に思った人もいるかと思います。もしかしたら，そのように思った人は，筋が良いかもしれません。なぜなら，「たとえばどういうことなのだろうか？」と，すでに具体例を要求しているからです。

　具体例は読み手の理解を助けるものです。哲学的小論文の場合は哲学者の文章を引用することが多くなるでしょう。あるいは，より読み手に伝わりやすくなるように，統計データやニュース，社会現象などに触れる場合もあるかもしれません。効果的な例，読み手にわかりやすい例，ある主張を説明するのにぴたりと当てはまるような例をいろいろと模索してみてください。この模索はみなさんが思考することにつながるはずです。

　では，実際に具体例を挙げてみましょう。みなさんが哲学の授業で「プラトンの知識論について」というお題で出されたレポートを書かねばならないとしましょう。ここでみなさんは，「先生が授業で言っていたのは，「プラトンにおける知識はイデアの知識であり，それは哲学問答により思い出されたり産み出されたりするものである」ということだったなあ……」ということを思い出し，ノートを開けて確認すると，エピステーメーだとか想起説だとか産婆術だとか書かれていたとしましょう。

　ここで，みなさんは，次のような構成を考えるのではないでしょうか。（以下に書かれているものは，すべてノートに記載されているものだとします）

1)プラトンにおける知識はイデアの知識である。

   1-1)知識　→　エピステーメー

   1-2)イデア論　→　中期以降の対話篇(『パイドン』とか『国家』とか)

2)それは哲学問答により思い出されたり産み出されたりするものである。

   2-1)思い出す　→　想起説(『メノン』『パイドン』)

   2-2)産み出される　→　産婆術(『テアイテトス』)

　ここで示されたレポートの具体例の挙げ方が，まさに具体例の挙げ方のコツの一つなのです。このように，ある問題における汎用的な(≒およそどのようなことにでも使えそうな)具体例を一つ挙げ，それを使って説明するというのが，具体例を挙げるコツであると言えるでしょう。

キーワード解説

アナール学派([仏]École des Annales, [英]Annales School)　20世紀において一大潮流をなした，フランスを中心に広まった歴史学における学派。このアナール学派は，文献資料のみに基づいて研究が進められていたそれまでの歴史学における素朴な実証主義とも言えるような研究のあり方に対して，民衆の意識や心のありようなどにも目を向けようとした。

ミシェル・フーコー(Michel Foucault,1926-1984)　20世紀のフランスの哲学者。『知の考古学』『言葉と物』『狂気の歴史』『性の歴史』などの著作で知られる。系譜学(généalogie)で有名。

知の考古学([仏]archéologie du savoir, [英]archaeology of knowledge)　歴史に関して，相互に異なる諸学の間にある共通の思考図式といった深層構造を垂直的に分析するなどの，フーコーが歴史を対象とした探究の方法。

著者紹介

ジャック・ル=ゴフ(Jacques Le Goff, 1924-2014)　20世紀後半から21世紀前半におけるアナール学派の中心的人物であったフランスの中世史学者であり，『アナール』編集委員。1959年にアナール学派が中心となって組織される高等研究院第六部門に入り，それ以降，アナール第三世代のリーダーとして活躍。『煉獄の誕生』(法政大学出版会)，『中世の夢』(名古屋大学出版会)等の著書がある。

　本章で紹介した『時代区分は本当に必要か』は，彼の生前最後の書き下ろし。一般読者向けに執筆された本だということもあり，決して難解ではないため，ぜひ全体を通して読んでもらいたい本である。

イアン・ハッキング(Ian Hacking, 1936-)　カナダ生まれの哲学者。トロント大学名誉教授，元コレージュ・ド・フランス教授。『確率の出現』(慶應義塾大学出版会)，『偶然を飼いならす——統計学と第二次科学革命』(木鐸社)といった確率や統計の歴史についての斬新な著作がある。また，科学哲学に新実験主義(New Experimentalism)という新たな潮流を生み出した。その他にも，興味関心そして研究の領域が多岐にわたり，非常に博識であり，また多才な「現代における最大級の知の巨人」の一人であると言っても過言ではない哲学者である。

読書案内

トーマス・クーン『科学革命の構造』中山茂訳，みすず書房，1971年

科学史を学ぶ者にとっての必読書の一つ。科学革命が起きるときには対立するパラダイム間で衝突が

起きることなど，科学の発展の歴史が非連続的であることを詳細に論じている。彼の著作である『コペルニクス革命』（講談社学術文庫）とあわせて読みたい。

ジャレド・ダイアモンド『銃・病原菌・鉄――一万三〇〇〇年にわたる人類史の謎』（上・下）倉骨彰訳，草思社文庫，2012 年

それぞれの大陸で文明がそれぞれ異なる発展と遂げたことに関する考察を，歴史を全世界的な規模で大きく捉えつつ行なった本。文化の伝播が同緯度においては行なわれやすいことなど，興味深い検討にあふれた良書である。

アルフレッド・W．クロスビー『数量化革命――ヨーロッパ覇権をもたらした世界観の誕生』小沢千重子訳，紀伊国屋書店，2003 年

科学革命に先立つ中世後期の 13 世紀後半から 14 世紀前半以降，ものごとを数量数量的に把握するようになったことが，ヨーロッパが世界覇権を握ることができた理由の一つであるとし，それを実証的に検証した，非常に興味深い本。

田尻祐一郎『江戸の思想史――人物・方法・連環』中公新書，2011 年

江戸時代に日本国内で独自の発展を遂げた，儒学，蘭学，国学といった思想，また幕末における公論が，どのように発展したかを，それぞれの学問とそれに携わった人物に焦点を当てて概観した良書。

野家啓一『物語の哲学』岩波現代文庫，2005 年

歴史的事実においても，フィクションとしての物語においてと同様，それを物語るという言語行為（物語行為）を離れては意味をなさず，また存在しえないというテーゼに基づきつつ，歴史を物語ることに関する探究も収録されている。

◎書いてみよう

コラム 「歴史になる」ということ

　ビートルズが来日したころ，日本中の若者は誰もが皆ビートルズを聴いていたかのような話を耳にすることもあるが，実際のところはグループサウンズや橋幸夫などの日本の流行歌を聴いていたりしていた若者の方が多く，ビートルズを聴いていた若者はクラスに数人であったというのが実態であったようだ。そうであれば，当時，ビートルズのブリティッシュロックにヤァー！　ヤァー！　ヤァー！　と声をあげていた若者もいたし，橋幸夫のメキシカンロックにゴーゴー！　ゴーゴー！と声をあげていた若者もいたということになる。

　現代に生きる私たちにとって，ビートルズと橋幸夫を同じ範疇にくくることは，ほとんどないだろう。それは，時間が経過し，ある時代が過去のものとなることにより，その時代の雰囲気やその中でなされた体験といった同時代性のようなものが薄れていったり消失したりすることにより，後の時代においてなされる分析や解釈といった，「何らかの作為」によるものであるようにも思われる。

　そして，そのような「何らかの作為」というフィルターあるいはバイアスを通すことによってしか，現代に生きる私たちは，過去の出来事やムーヴメントを，理解できないのかもしれない。そしてそれは，ある意味で，相対化されたものとしてそれらを理解することであるともいえよう。

14 理論と経験
理論（知識）は経験に先だつか，それとも経験が理論（知識）の源泉か？

第 1 論考‥‥等しさそれ自体とは

　　徐々にではあるが，「哲学対話」がこの国に浸透しつつある。フランス発祥の「哲学カフェ」（89 ページのコラムを参照）はほぼ毎週のように全国各地の様々な場所で開かれているし，また小・中学校，高校でもハワイの p4c（philosophy for children）実践に影響を受けた「子どもの哲学」が少しずつ導入されだしている。両者に共通するのは，哲学を対話的に実践しようと試みる点であるが，それはしばしば哲学の先祖返りとも称される。というのも，ソクラテスこそがそのようなスタイルで哲学を行なっていたからだ。たとえば，次のように──

　　「では，考えてみたまえ」とソクラテスは言いました。「このことがその通りかを。私たちはどこかに等しいものがあると言うね。私が言っているのは，木材が木材に，石材が石材に等しいとか，他のこういったもののことではなく，これらすべてとは別にあるなにか別のもの，つまり等しさそれ自体のことだ。私たちは，なにかそういったものが真にあると言おうか，それともないと言おうか。」

　　「ゼウスの神にかけて，あると言いましょう」とシミアスは言いました。「驚くべき確かさで。」

　　「そして，私たちは，まさに等しいものである実在それ自体を知っているのか。」

　　「もちろんです。」

　　「私たちは，これの知識をどこから捉えたのか。それは，私たちが今しがた語ったもの，つまり，木材や石材や他のこういった等しいものを見て，これらから彼のもの，つまり，これらとは異なって真にある等しさを心に思ったのではなかったか。それとも，君には異なったものには見えなかったのかね。

　　では，次の仕方でも考えてくれ。等しい石材や木材が，同じものでありながら，時には，或る人には等しいものであると現れるが，別の人にはそうでなく現れることがあるのではないか。」

　　「その通りです。」

　　うーん，これってほんとに対話になってるの？　そう疑問に思った方もおられるのではないか。ソクラテスがつねに問う者で，シミアスは「もちろんです」，「その通りです」と短く答えるばかり。対話ってこういうものだろうか……。実はプラトンが描くソクラテスの対話

法は，哲学史的には「問答法」（ディアレクティケー）や「反駁的対話」（エレンコス）と言われ，それは「絶えず対話相手の保持する臆見（ドクサ）の破壊に従事」（岩田靖夫『増補　ソクラテス』ちくま学芸文庫，2014年，14頁）することをねらいとしたものだ。もっとも，「この否定の矛先はつねに同時に自己自身にも向けられ，絶えざる自己否定，自己超克，すなわち，いわゆる無知の自覚を結果していた」（同前）ので，その意味では，ソクラテスとシミアスは対等である。ソクラテス自身，「等しさそれ自体」があるのかどうかがわからず，それゆえ問うているのである。

「ではどうか。等しいものどもがそれ自体として等しくないものとして君に現れたことがあったろうか。あるいは，等しさが不等性として現れたことはあるかね。」

「一度もありません。ソクラテスさん。」

「それでは，これら等しいものどもと，等しさそれ自体は，同じではないのだ」とソクラテスは言いました。

「けっして同じではないと，私には思われます。ソクラテスさん。」

「しかしながら，これら等しいものどもは彼の等しいものとは異なっているが，それにもかかわらず，君はこれらのものからその等しさそれ自体の知識を心に思い，把握していたのだ。」

「あなたが語っておられるのは，まったくの真実です」と彼は言いました。

ソクラテスは自分のことを「フィロソフォス」と呼んでいたが，それは「ソフィスト」と呼ばれる人たちと区別するためであったと言われる。ソフィストらは職業的知識人であって，アテナイの人々に「説得」を行なう技術である弁論術を教えながら金銭的な対価を得ていた。たとえばプロタゴラスやゴルギアスらが有名なソフィストであるとされ，彼らはプラトン対話篇のタイトルとしてその名が冠されている。ソクラテスの問答法は，彼らの説得とはたしかに異なるだろう。対話相手に問いかけながら，知（ここでは等しさそれ自体）を追い求めているからだ。「フィロソフォス」とは文字どおりには「知を愛するもの」という意味である。

では，シミアスとの対話からソクラテスはどのような見解にひとまず達しえたのか，以下の彼の発言を読んでみよう。

「それでは，私たちはこう同意するのではないか。人が或るものを見て，こう心に思った場合に。つまり，今私が見ているこのものは，真にあるなにかのようにあることを望みながら，欠けるところがあって，彼のもののようにあることは出来ず，より劣ったものでしかないのだと。そう心に思った人には，彼のもの，即ち，このものがそれに似ているがより不完全であるというあれをあらかじめ知っていたということが必然ではないか。」

（Plato, *Phaedo*, プラトン『パイドン』光文社古典新訳文庫，2019年，84-88頁）

問い

1. ソクラテスの問答法，あるいは反駁的対話の特徴とはどのようなものだろうか。考えてみよう。

2. 「等しさ」以外に，このように「○○それ自体」と言えそうなものはないか，いくつか考え

てみよう。また，「〇〇それ自体」の特徴とはどのようなものか，考えてみよう。

哲学史的には，『パイドン』においてはじめて「イデア」というプラトン独自の思想が提示されたと言われる。先のテキストにおいて，ソクラテスが何度も繰り返してやまない「等しさそれ自体」こそが，イデアにほかならない。とはいえ，理論（知識）をイデアの想起という仕方で説明しようとするプラトンの考えについては，すぐに彼の弟子であるアリストテレスが批判していた。以下では，近代の思想家ジョン・ロックの有名な一節を含む文章を読んでみよう。

第2論考 ・・・知識は経験に由来する

「およそ人間はすべて思考するとみずから意識するし，思考する間に心が向けられるのは心にある観念であるから，疑いもなく人々は，白さ・硬さ・甘さ・思考・運動・人間・象・集団・酔いその他のことばで表現される観念のような，いくつかの観念を心にもっている。そこで，まず探求すべきことは，人間がどのようにしてこれらの観念をえるかである。私は知っているが，人々は生まれつきの観念をもち，そもそも生まれる初めに心へ捺印された本原的刻印をもつというのが，広く認められた学説である。〔…〕また，私は思うが，知性はそのもつすべての観念をどこからえるだろうか，観念はどんな仕方・段階で心の中に来るだろうか，そうした点を私が明示してしまえば，前巻で私が述べておいたことはずっとよういに許されるだろう。この〔源泉や仕方・段階の〕点については，私はすべての人自身の観察と経験に訴えることになろう。」

「観念」についてはキーワード解説の項を参照してもらいたいが，それほど難しい文章とは感じないのではないか。探究すべき課題は，人間がどのようにして様々な観念を得るのかであって，その問いに人は生得的に観念を持っているというのが「広く認められた学説」だというのである。しかし，それに対してロックは「観察と経験」という別の考え方に訴えようとするのである。

「そこで，心は，言ってみれば文字をまったく欠いた白紙で，観念はすこしもないと想定しよう。どのようにして心は観念を備えるようになるか。人間の忙しく果てしない心想がほとんど限りなく心へ多様に描いてきた，あの膨大な貯えを心はどこからえるか。どこから心は理知的推理と知識のすべての材料をわがものにするか。これに対して，私は，一語で経験からと答える。この経験に私たちのいっさいの知識は根底をもち，この経験からいっさいの知識は究極的に由来する。〔…〕」

たとえば，生まれたばかりの赤ちゃんを想像してみよう。彼・彼女らは「白紙」の状態だと言えるのではないか。もっとも，赤ちゃん学が進展した現在では，「その見た目とは対照的に，ヒトの新生児は驚くほどの能力を持っていることが明らかにされてきました」という指摘もある（明和政子『ヒトの発達の謎を解く——胎児期から人類の未来まで』ちくま新書，2019年，48頁）。そして，そんな赤子も徐々に喃語を話しだし，いろいろと経験を重ねてゆくことで，

幼児に達するころにはいくつかの(たとえば「ママ」や「パパ」,「おうち」といった)観念を得るようになるだろう。とはいえ,私たちは経験していない知識さえをも持つのではないか。ロックよりも35年ほど年長のデカルトであれば,おそらくそう返すことだろう。経験が知識の源泉なのか,それとも知識は経験に先だつのか? この対立はのちにカントによって調停されることとなる。とはいえ,ひとまずはロックの以下の説明を読んで,彼の言い分に耳を傾けてみよう。

　「第一,私たちの感官は個々の可感的対象にかかわって,それらの対象が感官を感発するさまざまな仕方に応じて事物のいろいろ別個な知覚を心へ伝える。こうして〔たとえば〕私たちは黄や白や熱いや冷たいや柔らかいや硬いや苦いや甘いや,すべて可感的性質と呼ばれるものについて私たちのもつ観念をえる。〔…〕私たちのもつ観念の大部分のこの大きな原泉はまったく感官に依存し,感官によって知性へともたらされるので,私はこの原泉を感覚と呼ぶ。

　第二に,経験が知性に観念を備える他の原泉は,知性がすでにえてある観念について働くとき私たちの内の私たち自身の心のいろいろな作用についての知覚である。〔…〕観念のこの原泉をだれもまったく自分自身のうちにもっている。この原泉は外的対象とすこしも関係がないから感官覚ではないが,それによく似ている。そこで,内部感官覚と呼んでじゅうぶん適切だろう。しかし,私は前のを感覚と呼ぶので,これは内省と呼ぶ。」

(Locke, *An Essay Concerning Human Understanding*,ロック『人間知性論(一)』岩波文庫,133-135頁)

問い

1. ロックが最後の段落で述べている「私たちの内の私たち自身の心のいろいろな作用」にはどのようなものがあるだろうか。具体的にいくつか挙げてみよう。

2. あなた自身は理論(知識)と経験の関係性をどう考えるか。プラトンやロックの考えを参考にしつつ,自分なりに考えてみよう。

論述のコツ⑭　二つの考えの対立

　「対立」という言葉に,みなさんはあまり良い印象を持たないかもしれません。しかし論述を展開させていくうえで,これを活用するのは有効な手段です。

　第6章の論述のコツ⑥の「全体の構成」の箇所をあらためて読み返してみてください。「結論」は全体の5〜10%とされていることからもわかるように,哲学的論述において,書き手が達した結論それ自体がその論述の評価を決めることはまずありません。たとえば,「女性専用車両は,男性差別か?」という問いがあったとして,「差別である」「差別ではない」というどちらの結論に達しようが構わないわけです。なぜなら,哲学はその結論にどのようにして至ったのか,その

過程・道筋のほうが重視されるからです。そして，結論に至るまでの思考のプロセスを記すのが本論です。

　私たちは，えてして一足飛びに安易に結論へと飛びついてしまいがちです。ある考えが浮かんだら，その考えの良い点だけをずらずらと書き連ねてしまうことが往々にしてあります。でも，当然その考えはすべての人々が直ちに同意するものとは限りません。仮にあなたの考えと反対の考えを持つ人が，あなたの考えの優れた点のみを力説した文章を読んだとして，素直にあなたの考えに賛成するでしょうか？　しないですよね。

　だから，あえて自分の考えとは逆の考えについても，その考えの良い点はないかを考えてみましょう。なにもその考えにあなたが同意する必要はないのです。可能性として自分の考え（テーゼ）とは逆の考え（アンチテーゼ）についても思いをめぐらし，それについて書いてみる。そうすると読み手は，「この書き手は，自分の考えをきちんと相対化できているな」と思い，あなたの考えへの信頼性はそのぶんより高まることになります。おまけに文章の量も増えて一石二鳥です。

　まじめな人ほど，この<ruby>あえて自分の考えとは逆の考えに思いをめぐらせてみる</ruby>ということに難しさを感じるかもしれません。反論という言葉に抵抗を覚える人もいるかもしれません。

　でも慣れればそれほど難しいことでもありません。日々の生活で，せめて哲学に触れている時間ぐらいは，**自分が正しいと思う考えとは逆の考えの優れた点についても考えてみる**ことをすすめます。

キーワード解説

観念（[英]idea）　単純に言えば考えのこと。「いいアイデアが浮かんだ」というように，ある物事について，心の中に固定的に現われるに至った内容を指す。経験に由来しない場合は，生得観念という。

著者紹介

ジョン・ロック（John Loche, 1632 – 1704）
　第10章の著者紹介を参照。

読書案内

【邦訳】
『パイドン――魂について』納富信留訳，光文社古典新訳文庫，2019年
2010年の『プロタゴラス――あるソフィストとの対話』を皮切りに，『メノン』（2012年），『ソクラテスの弁明』（2012年），『饗宴』（2013年），そして『テアイテトス』（2019年）と，プラトン対話篇の新訳が刊行され続けているが，本書は2019年6月時点で，その最新作となる。「訳者まえがき」が巧みに対話篇へと<ruby>誘<rt>いざな</rt></ruby>い，注は参照しやすい側注形式，また充実した訳者による解説，さらには師弟の関係性がよくわかる「ソクラテス・プラトン年譜」と，非常に工夫の凝らされた作りとなっている。
『人間知性論（一）』大槻春彦訳，岩波文庫，1972年
本章ではこれを使用したが，『人間知性論』は全4巻からなる大部の著作である。もう少し手軽にロックの文章を読んでみたいという人には，彼の『知性の正しい導き方』（下川潔訳，ちくま学芸文庫）をすすめる。訳注と訳者解説がとても充実している。

【入門書】

加藤節『ジョン・ロック──神と人間との間』岩波新書，2018年
「人類の思考様式そのものを変えた思想家」ロックの全貌を見渡すのに最適な一冊。

上野修『哲学者たちのワンダーランド──様相の十七世紀』講談社，2013年
ロックの生きた17世紀のヨーロッパを指して，かつてホワイトヘッドは「天才の世紀」と呼んだ。本書は，ロックと同じ17世紀を生きた大陸側の哲学者たちであるデカルト，ホッブズ，スピノザ（ロックと同じ1632年生まれ），ライプニッツのわかりやすい入門書。

飯田隆『新哲学対話──ソクラテスならどう考える？』筑摩書房，2017年
この国を代表する言語哲学者による四つのソクラテス対話篇を収める。「ケベス──あるいはAIの臨界」では，本章で取り上げた『パイドン』の登場人物シミアスがAIの代弁者として登場。また，「序」で著者はこう述べる。「哲学のいちばん根底にあるものは，日常の言葉，すなわち，台所の言葉で営まれる生活のなかから出て来る疑問であったり迷いであろう。そして，ソクラテスこそ，こうした哲学の根底から決して離れなかったひとではないだろうか。」

コ ラ ム 哲学の文体

　文体というといかにもブンガクっぽいので，スタイルと言い換えてもいいが，ここまで本テキストを読んできて，気に入った哲学的論述のスタイルはあっただろうか。本章であれば，イギリスの哲学者ホワイトヘッド（1861－1947）をして，「すべての西洋哲学はプラトンの注釈にすぎない」と言わしめたプラトンが，対話篇というスタイルでその哲学を書き記していたことの意味はやはり大きいし，ロックの『人間知性論』の原題は *An Essay Concerning Human Understanding* だから，それはエッセイというスタイルで書かれたものである（なお，エッセイというと「随筆」や「随想」をイメージする人が多いかもしれないが，試みや企てという意味での「試論」という意味合いも essay にはある）。だからだろうか，この二人の文章は，たとえばハイデガーやレヴィナスの文章よりも格段に読みやすかったのではないか。もっとも，プラトンはアテナイの名門一家の生まれで，ロックは「天才」と称される人物だ。そんな二人だからこそ，対話篇やエッセイという論述のスタイルを自在に使いこなせたのであって，私たちのような凡人は，やはり型通りの文章を書くよう心がけたほうが無難だとも言えるだろう。

　みなさんは，「哲学カフェ」という言葉をご存じだろうか。フランスのパリのとあるカフェで，一人の哲学教師がたまたま始めた，一般市民らとの哲学の議論の場である。1992年の6月が最初だから，まだ30年もたっていない（2500年以上にわたる長い西洋哲学の歴史においては）歴史の浅い哲学の営みである。日本では2000年ごろから徐々に始められ，2011年の東日本大震災をきっかけに，一気に全国へと拡がっていった。いまでは大学のサークル活動としても哲学カフェが行なわれていたりもする。

　「哲学」と聞くと，小難しそうな顔をして孤独に思索にふけっている姿を思い浮かべる人が多いかもしれない。たとえばデカルトやカントらはその代表とも言えるだろう。もちろん二人とも社交的な人物であったが，『省察』や『純粋理性批判』といった哲学書を執筆しているときは，やはり一人自室にこもって全神経を書くことに集中していたはずだ。

　とはいえ，「哲学する」とはなにも「哲学的な文章を書く」ことには尽きない。なにせ，西洋哲学の父であるソクラテスは，一文字も書き残してはいないのだ。彼は大ポリス・アテナイの「アゴラ」と呼ばれる広場で，青年らと「善いとは何か？」「道徳的であるとはどういうことか？」といったテーマをめぐって，対話に明け暮れていたという。ソクラテスのその手法は「問答法」と呼ばれ，その様子を後世に伝えるのが，弟子のプラトンが書き著わしたいくつもの対話篇である。

　私自身は，みなさんと同じ大学生だったころ，一人で内にこもって自問自答に明け暮れた日々を過ごしていた。でも堂々巡りに陥ってにっちもさっちもいかなくなったときに知ったのが，哲学カフェという他者と言葉を交わし合いながら「ともに考える」という哲学のやり方だったのである。みなさんも他人と話していて，「あ，そういう視点もあるのか！」という驚きの経験をしたことがないだろうか？　複数の人々が集まって，あるテーマについて2時間ほど意見のやりとりを交わす哲学カフェでは，狭くて強固な自分の思考の檻をこじ開けるような，そんな開放感が味わえる。

　もっとも，テーマに対してみなが納得のいく答えや，自分のすっきりとした見解に，哲学カフェの時間内で到達できるとは限らない。とはいえ，冒頭で言及した，哲学カフェの創始者マルク・ソーテは，当時からすでに向けられていた「ファスト・フィロソフィー」という揶揄に対して，こう応じていた。「私はなにも，哲学の実践にはガヤガヤした騒音と人だかりが必要であると言っているわけではない。ただ単に，カフェで百五十人の参加者がいても「哲学的」と呼ぶに値する考察を始めることができると主張したいのだ。「始める」とは，達成することは意味しない。要するに……始めること。そこから先は各自勝手に，そうしたければテーマを掘り下げるなり，たまたま名の挙がった著作にひたるなり，議論の流れのなかで引用された著者と一対一の対話を始めるなりすればよいのである，そのときこそは完全なる静寂のなかで」（『ソクラテスのカフェ』堀内ゆかり訳，紀伊国屋書店，1996年，9頁）。

　だから，本テキストも一人で「読んで，書く」のに使用するだけでなく，たとえば友達や家族の方々と一緒にテキストを読んで，各々のテーマについて話し合ったりして，つまりは共有してみてもらいたい。意外にもみなさんのお父さんやお母さんらのほうが，「この哲学者の書いていること，よくわかるなあ」と喰いついてくるかもしれないから。

　なお，哲学カフェにはやや遅れたものの，この国の教育現場でここ数年急速に広まりつつあるのが，第1論考の冒頭でも少し触れた「子どもの哲学(Philosophy for Children)」，略して「p4c（ピー・フォー・シー）」だ。パリ近郊のある幼稚園で行なわれている哲学対話の模様を記録した映画『ちいさな哲学者たち』やハワイ大学のトーマス・ジャクソン教授らがハワイ州の学校で実践してきた哲学対話（コミュニティボールと呼ばれる毛糸のボールを使うのが特徴）等に刺激を受けた日本の哲学者の有志や学校の先生らによって，現在，全国各地の小中学校・高校で草の根的に行なわれている。興味のある方は，梶谷真司『考えるとはどういうことか——0歳から100歳までの哲学入門』（幻冬舎新書）や土屋陽介『僕らの世界を作りかえる哲学の授業』（青春出版社）を読んでみてほしい。

15 解釈
「正しい解釈」は存在するのか？

　本に限らず，映画や美術品，イベント，ファッション，建築など，意味を表現している媒体を「テクスト」と言う。テクストを解釈することで，人はそこに意味を読み取る。だがその解釈に正解はあるのだろうか？　読みとるべきは，そこに作者が込めた意図なのか，あるいはテクストは客観的に何かを表現するのか，それとも……読解するものが自由に見出すべきものなのだろうか？

第 1 論考 ··作者の意図を解釈

　矛盾。
　私たちの中にある対立するものすべてを調和させることでしか，よい顔立ちを作り出すことはできない。相反するものを調和させることなしに，一連の調和する性質を追うだけでは不十分である。ある作者の意味〔＝方向性：sens〕を理解するには，相反するすべての章句を調和させねばならない。
　こうして，聖書を理解するためには，相反するすべての章句が調和するような方向性を見出さねばならない。いくつかの調和する章句に都合のよい方向性を見つけるだけでは不十分であって，相反する章句すら調和させるような方向性を見つける必要がある。
　どんな作者にも，相反する章句がすべて調和するような方向性がある。そうでなければ，その作者はいかなる方向性も持たないことになる。このようなことを聖書や預言者たちについて言うことはできない。そうであるには，あまりにも良識〔bons sens〕があるからだ。それゆえ，対立するものすべてを調和させるような一つの方向性を探さねばならない。
　もし，律法，供犠，王国を実在のものとして捉えるならば，すべての章句を調和させることなどできないであろう。したがって，それらは必然的に表徴でしかないことになる。ある一人の作者の章句，ある一冊の本の章句，ときにはある一章の章句すら調和させられないことがある。このことこそ，作者の方向性が何であったかをはっきりと示しているのだ。

（Pascal, *Pensées*, B684. パスカル『パンセ』B684.〔　〕は筆者による補足）

1. パスカルは何をテクストの解釈の目的としているのだろうか。また，その方法としてどのようなことを提案しているのだろうか。

2. 『聖書』というテクストについて，これを読解する目的はなんだろうか。

3. 自然科学の教科書，小説などの物語，詩，歴史記述，哲学書，映画作品，CM 作品などについて，読解の目的と方法を考えてみよう。

第２論考 ⋯⋯⋯⋯⋯⋯⋯⋯⋯⋯⋯⋯⋯⋯⋯⋯⋯⋯⋯⋯⋯作者の意図からの自由

　　バルトは，従来，作者がその意味について最大の権利を持っていると考えられてきた「作品」と区別して，小説のような書かれたもの（エクリチュール），記号によって表現されたもの一般を，作者の支配権から切り離して「テクスト」と呼ぶ。テクストは，作者の手を離れて，様々に経験され遊ばれるような，いわば，「言葉の織物 textile」とみなされる。

　「われわれは今や知っているが，テクストとは，一列に並んだ語から成り立ち，唯一のいわば神学的な意味（つまり，「作者＝神」の《メッセージ》ということになろう）を出現させるものではない。テクストとは多次元の空間であって，そこではさまざまなエクリチュールが，結びつき，異義をとなえあい，そのどれもが起源となることはない。テクストとは，無数にある文化の中心からやってきた引用の織物である。」

　こうして「作品」が「テクスト」として捉え直されると，そこに「作者」を持ち出して意味を固定しようとする従来の批評家たちの試みは，不当なものに見えてくる。

　「あるテクストにある「作者」をあてがうことは，そのテクストに歯止めをかけることであり，ある記号内容を与えることであり，エクリチュールを閉ざすことである。このような考え方は，批評にとって実に好都合である。そこで，批評は，作品の背後に「作者」（または，それと三位一体のもの，つまり社会，歴史，心理，自由）を発見することを重要な任務としたがる。「作者」が見いだされれば，《テクスト》は説明され，批評家は勝ったことになるのだ。」

　つまり，書かれたもの（エクリチュール）は，本来，「作者」によって閉じられたものではなく，「読者」に「開かれたもの」なのである。「読者の誕生は，「作者」の死によってあがなわれなければならないのだ。」

こうしたバルトの「テクスト」と「読者」の捉え方は，テクスト解釈のあり方，読者の役割もまた描き直すことになる。

　「読者とは，あるエクリチュールを構成するあらゆる引用が，一つも失われることなく記入される空間にほかならない。あるテクストの統一性は，テクストの起源でなく，テクストの宛て先にある。しかし，この宛て先は，もはや個人的なものではありえない。読者とは，歴史も，伝記も，心理ももたない人間である。彼はただ，書かれたものを構成している痕跡のすべてを，同じ一つの場に集めておく，あの誰かにすぎない。」

　あるテクストは，作者の意図を統一して示すものとして読まれ，そういう読みを提示する批評家によって，与えられているものではない。むしろ，テクストが読まれ鑑賞されるその場その場において，テクストを意味のあるものとして受け取ろうとする「読者」や「聴衆」こそが，テクストをまとまった意味の織物として再生産しているのである。

（Barthes, «La mort de l'auteur»,
バルト「作者の死」『物語の構造分析』みすず書房，85 – 89 頁）

問い

1. バルトは，テクストの解釈において，「作者」（と批評家）がどのような役割を果たしてきたと指摘しているでしょうか。

---

2. 「作者」を問題にしないことによって，テクストを解釈する上で，どのようなメリット，そしてデメリットが考えられるでしょうか。

論述のコツ⑮　弁証法

　レポートでは，複数の観点から対立する考え方を検討することが大切ということは先述しました。とは言っても，レポートは最終的には何らかの意見として主張をまとめる必要があります。対立した意見を二つ挙げるだけ挙げても，最終的に著者の言いたいことが何なのかわからなければ，レポートして評価することはできません。

　対立した意見を検討して一つの意見にまとめることを「弁証法」（ディアレクティーク）と言います。理性によって知を求める営みである哲学では，古代からこの方法が探究されてきましたし，現代でもすべての学問において必須の方法になっています。

　古代ギリシャで問答法ないし対話（ディアレクティケー）と呼ばれたのは，元になる考え方Aに対して，次々に質問をすることでA'→A''→A'''……というようにバージョンアップさせていく方法です。哲学者ソクラテスは，教師が生徒に質問して生徒の知を向上させる「産婆術」という方法を得意としていました。その弟子プラトンは，A⇔B⇔C のように，いくつかの対立意見を

出してそれぞれの立場から相互に批判し合うことで，それぞれの立場を際立たせ，そのうえで最終的に一つの意見，たとえばＡが優れていることを明らかにして主張するテキスト「対話篇」による哲学書を多数残しています。

　近代になってヘーゲルという哲学者が，対話をもとにしたダイナミックな思考と探究のプロセスを提案し，「弁証法」と呼びました。これは，たとえばＡという元のアイデアに対して，これと対立するアイデアＢを考え，さらにこの両者の対立を解消するような一つ次元の高い立場や視点から新しいアイデアＣへと至るというものです。

　説得力のあるレポートを作成するためには，ただ自分のアイデアを述べるだけでは足りません。自分の意見とは対立するアイデア，自分とは異なる立場からの意見も検討しておく必要があります。つまり，多様な視点から，自分のアイデアを批判的に吟味する必要があるのです。そのうえで，対話を経て正当化された自分のアイデアでもよいし，検討を経て弁証法的にバージョンアップした新しいアイデアでもよいですが，批判的な吟味を終えた自分の意見として提示する必要があるのです。

　そうやって導かれたアイデアは，対立する意見という試練を乗り越え，より鍛えられ，より力強いものになっていることでしょう。

キーワード解説

テクスト（[仏]texte，[英]text）　バルトは，その作者から切り離された物語や絵画などの記号的表現を，「テクスト」として捉える。そこでは読者は，作者が意図して作品に込めたメッセージを，作者に「忠実に」読み取る必要はない。テクストの読解に関して読者は作者と同等の権利を持ち，したがってテクストは読者によって多様に読み取られ得るのである。テクストはまた，それが置かれる文脈によって，たとえば他のテクストと関連させられたり，異なる社会情勢の中で読まれることで，異なる意味を与えられるだろう。この意味で，バルトは書かれたもの（エクリチュール）やひとたび表現された多様な表現は，解釈に開かれていると考えた。

聖書（[仏][英]Bible）　イエス誕生以前のイスラエル民族歴史や証言をまとめた旧約聖書と，イエスの生涯と死を記録する新約聖書がある。キリスト教は，この両聖書を聖典とする宗教である。旧約聖書には，「アダムとイブの失楽園」の物語や，「ノアの箱舟」や「バベルの塔」の逸話など，よく知られた物語が収録されており，文学や歴史書としても重要なものとなっており，テクスト解釈の対象となってきた。新約聖書は，イエスやその弟子たちの言行録，パウロら書簡など多様なテクスト群が一冊にまとめられたもので，その解釈はキリスト教を中心とする西洋思想の中心的な関心事であった。

表徴（[仏]figure）　フィギュアとは，辞書的には図や像のことであるが，キリスト教の伝統的な聖書解釈においては，聖書において何かを象徴的に示す表現のことを意味する。そして，旧約聖書と新約聖書という二つのテクストを解釈によって結びつける鍵となる。たとえば，旧約聖書におけるある記述を，イエス・キリストが到来して実現することの予言，予告として解釈することで，その宗教的意味を受け取ることができるのである。パスカルは，聖書の記述を字面通りに受け取り，そこに矛盾を指摘して不合理なものとみなすような一見「合理的」な態度に対して，聖書は字面通りのことを表現するテクストではないのだから表徴的に読み，そこに統一的な宗教的意味を読みとるべきとしているのである。

著者紹介

ブレーズ・パスカル（Blaise Pascal，1623-1662）

パスカルは，1623 年にフランスで生まれた。幼い頃から頭脳明晰で，父親は学校ではなく家庭で教育することを決意したという。数学を好み，12 歳のとき，自力で「三角形の内角の和は二直角である」という定理を証明したと言われる。数学においてはフェルマーとの往復書簡で確率論の誕生に寄与し，自然学（物理学）の分野では流体の圧力に関する「パスカルの原理」で知られる。また計算機を考案して制作させるなど，発明家としても活躍した。自然学（物理学）や数学で才能を発揮する一方，信仰の人でもあった。30 歳のころからパスカルは自分の世俗の人生に虚しさを感じはじめ，その後，修道院に入り信仰の道に進んだ。修道院では，信仰を守り勧めるための執筆活動に尽力し，『パンセ』はそうした中で書きためられた原稿が死後出版されたものである。身体の弱かったパスカルは 39 歳の若さでこの世を去る。

ロラン・バルト（Roland Barthes, 1915 – 1980）

　バルトはフランスの哲学者，批評家である。若い頃，肺結核にかかり長い療養期間を過ごしたが，1953 年に『零度のエクリチュール』を発表し，注目されるようになる。広く芸術に関心を寄せ，その記号学的分析を試みた。バルトは，「書物」あるいは「作品」とは何か，その「作者」そして「読者」とは何者かを問い続け，作者の思想を読みとろうとするタイプの正統的なテクスト解釈を批判した。「作者の死」で知られるバルトの斬新なテクスト解釈の提案は，構造主義や記号論といった 20 世紀のフランス思想界の隆盛に大きく寄与した。バルトは，1962 年以降，パリの高等研究院やコレージュ・ド・フランスの教授を務める大学人として活躍した。他に，『明るい部屋——写真についての覚書』『物語の構造分析』などの著作がある。1980 年に交通事故に遭い，亡くなった。

読書案内

【邦訳】

パスカル『パンセ（上・中・下）』（B678）塩川徹也訳，岩波文庫，2015 年

パスカルの死後，彼が書きためた人間存在や信仰についての考察が，編集されて出版されたもの。科学者の世界，社交の世界，信仰の世界で卓越した能力を示したパスカルの，それぞれの精神世界における鋭い観察や警句に満ちており，万能人としてのパスカルの思想を最も統合的に示すテクストである。「精神と文体とに関する思想」「神なき人間の惨めさ」「正義と現象の理由」というようにトピックごとにまとめられて出版されることもある（たとえば，ブランシュヴィック版に基づく『パンセ』前田陽一・由木康訳，中央公論社，1973 年）。しかし，その後のテクスト研究によりパスカルが信仰を擁護するためのテクスト（護教論）として自分の考察を準備していたことがわかり，その順序を反映したもの（たとえば，ラフュマ版に基づく『パンセ（1・2）』田辺保訳，教文館〈パスカル著作集〉収録，1981 年）がパスカル自身の意図により忠実なものとして重視されるようになっている。塩川訳の岩波文庫版も，この護教論としての順序に基づいている。

ロラン・バルト『物語の構造分析』花輪光訳，みすず書房，1979 年

「物語の構造分析序説」「作者の死」「作品からテクストへ」など，1961 年から 1971 年にの間に公表された，テクスト解釈をめぐるバルトの 8 篇の重要な評論をまとめたもの。収録された 8 編はいずれもコンパクトで読みやすく，バルトの思想を知るためのよい入口になるだろう。本書で引用した「作者の死」は，バルトのテクスト解釈のエッセンスが詰まった 1968 年の短い論考であり，同時代の思想家である M. フーコーの「作者とは何か」とともに，構造主義という当時フランスを中心に盛り上がりつつあった新しい思潮を導く代表的なテクストとしてしばしば言及されたものである。

【入門書】

塩川徹也『パスカル『パンセ』を読む』岩波人文書セレクション，2014 年

日本を代表するパスカル研究者であり『パンセ』の翻訳者でもある塩川による『パンセ』とパスカルの丁寧な解説書。パスカルの死後に遺稿として残された断片から，様々な研究によって『パンセ』と

いう現在私たちが読むテクストが成立するまでのプロセスも丁寧に解説しており，テクスト解釈をめぐる事例研究としても興味深い。『パンセ』というテクストを成立されている「護教論」という構想に焦点を当て，パスカルの人間学と宗教思想との複雑なつながりを解き明かし，バラバラの断片集ではなく一つのまとまったテクストとしての『パンセ』という読み方を教えてくれる。他方，パスカルの生涯や時代背景，他の著作との関係などについては，ほとんど言及されていないので，著者の推薦するジャン・メナール『パスカル』(安井源治訳，みすず書房，1971 年)などを参照するよとよいだろう。

石川美子『ロラン・バルト──言語を愛し恐れつづけた批評家』中公新書，2015 年

『零度のエクリチュール』(みすず書房，2008 年)，『記号の国』(みすず書房，2004 年)などバルトの著作の翻訳者でもある石川による，バルトの生涯と思想の解説書。「時代の寵児」として多彩に活躍したバルトを，生き生きとした一人の人間として魅力的に描き出すなかで，バルトのテクスト解釈をめぐる思想の変遷を解説している。「記号の国」として日本に魅せられたバルトの，西洋の伝統とは異なる日本の意味体系という理解についても説明されており，日本人をバルトに導くよい入門書になるだろう。

廣野由美子『批評理論入門──『フランケンシュタイン』解剖講義』中公新書，2005 年

小説『フランケンシュタイン』を例にとって，「ストーリー」と「プロット」の違い，物語の「語り手」の設定，物語を流れる「時間」の記述などの小説技法を解説する。続いて，物語を作者の人生や意図の表現として見る「伝統的批評」に対して，作者ではなく読者の受け取り方に焦点を当てた「読者反応批評」「脱構築批評」，テクストの埋め込まれた社会的・文化的文脈を問題にする「文化批評」や「ジェンダー批評」「ポスト・コロニアル批評」などの批評理論を解説する。技法や理論は高度に学術的なものであるが，よく知られていて引き込まれる『フランケンシュタイン』という小説を引き合いに出しながら説明されるため，予備知識のない人でも読みやすい。テクスト解釈についての絶好の入門書である。

◎書いてみよう

◆━コラム━ 作品と哲学 ━━━━━━━━━━━━━━

　哲学は，古代より新しい概念やアイデアを生み出してきた。世界についての新しい見方や考え方を求める中で，新しい見方や考え方を可能にする概念が必要だったのだ。ただ，それまでの概念でものごとを考えている人間が，突然まったく異なる新しい概念を思いつくことなどほとんどあり得ない。日本語で生活している人が，突然何の脈絡もなしに新しい日本語を生み出すことなどないだろう。また仮に突然新しい言葉を生み出しても，誰も必要とは感じないだろうし，そもそも理解もできないのではないだろうか。

　哲学者は，しばしば思考実験と称して，小さな物語を考える。デカルトの欺く神の想定，ウィトゲンシュタインの「カブトムシ」の場面など，枚挙にいとまがない。哲学者たちは，そうした文脈の中で哲学的な概念を説明したり，検討したりする。SF作品や多くの小説などは，しばしば私たちにとって非日常の文脈を生き生きと提示する。非日常でかつ私たちが何か気になるシチュエーションを生きた感動や感情を伴って描くのだ。そういう非日常の文脈の中で，新しい哲学的概念を思いついたり，実感を伴って理解できたりするものである。

　哲学を楽しむ一つのスタイルとして，小説でも映画でも，美術や音楽でもかまわないが，作品の中で哲学的概念を実感を伴って味わい，検討することをお勧めする。

16 物質と精神
私たちは物質の塊でしかないのか，あるいはそうではないのか？

　これから読むアリストテレス『魂について』の該当箇所は，魂とは何かという問いの考察を始める箇所である。アリストテレスにおいて魂は可能的に生命を持つ物体における形相としての実体であるということを意識しつつ読んでいくこととしよう。

第1論考 ……………………………………………魂が完全現実態であることについて

　私たちは，実体*を，存在するもののうちの一つの類であると言っている。そして実体について，あるものを質料と（質料は，それ自体においては 或るこれ ではないもの）と言い，また他のものをそれとは異なり，形とか形相（形相は，それにより 或るこれ と言われるもの）と言い，そして第三のものは，それら二つのものからなるものと言われる。

　質料は可能態*（デュナミス）であり，形相は完全現実態*（エンテレケイア）である。そしてこの完全現実態には二つの意味がある。一つは知識（を持っているが行使していないありよう）としての，もう一つは観想（という知識を行使しているありよう）としてのそれである。

　さて，何よりも実体であると言われているのは物体であり，その中でも自然的物体がそう言われる。というのも，これが他の物の始原（すなわち原理）だからである。だけれども，自然的物体には生命があるものと生命のないものがある。われわれが生命と言っているものは，自身による栄養摂取と成長と衰退である。それゆえ，すべての生命とともにある自然的物体としての身体は，実体であるが，それは質料と形相が結合したものとしての実体ということになる。

　そして，身体がこのようなものであるなら，すなわち生命を持つものであるなら，身体が魂であるということはないだろう。というのも，身体は基体に述語づけられるものには属さないからであり，むしろ基体としてそして質料としてあるからである。それゆえ必然的に，魂は次のようなものとしての実体として――すなわち可能的に生命を有する自然的物体の形相として――存在するということになろう。だが実体は最終現実態である。それゆえ，魂はそのような意味においての完全現実態である。

　さて，完全現実態は二つの意味で述べられる。一つは，知識（の所有）として，もう一つは観想（という知識の行使）としての意味である。そして明らかに，魂が完全現実態であるというのは，知識（の所有）の意味においてである。というのも，睡眠も覚醒も魂があることによっ

て成り立つからであり，覚醒の方は観想（という知識の行使）に類比的であるが，睡眠は知識を持ってはいるがそれを現実化していない状態に類比的であるからである。また，同一の人においては，知識（の所有）の方が，生成の順序としては観想よりも先である。したがって，魂は可能的に生命を持つ自然的物体の第一の完全現実態であるということになる。

(Aristotle, *De Anima*, 412a, アリストテレス『魂について』)

問い

1. 完全現実態とはどのようなものであるか。

2. 心（魂，プシューケー）が形相であることについて，また完全現実態であることについて，説明せよ。

　アリストテレスにおいて，魂は身体に内在的にあるという説明がなされていると言えよう。それは，身体と精神，あるいは物質と精神が離在しうるものであるとか，それらを二元論的に説明するような立場とかとは，異なる立場であろう。それに対して，次の文章で参照しているチャーマーズは，二元論的アプローチを現代的にアレンジしているとも言えよう。

第2論考 ……………………身体と精神に関する現代の哲学からの考察

　世界は物質のみによってあるのか，あるいはそうではないのか。もし物質のみによるとしたら，私たちも物質のみにより構成されていることになる。そうであるならば，私たちが「精神」や「心」という名称で呼んでいるようなものも，物質によるものであるといえるのだろうか。この問題に関して，チャーマーズは，「**もし物理的に同一なゾンビ世界が論理的に可能であるならば，意識の存在は物理的事実だけでは保証されない**」と述べた上で，「**物理的事実によって与えられる特性で，われわれの世界の特性が言いつくされたことにはならない。〔…〕物理的事実が，世界のあり方を余すところなく決めているのではない。意識に関する事実もまた，世界のあり方を決めているのである**」と述べている。

　チャーマーズは自然主義的二元論の立場を採っているといわれる。それは，もし精神や心といったものが物質である脳からどのように生じているのかを説明するためには，一般的な物理法則のみでは足りないとする立場である。彼は唯物論に対して「**ゾンビ世界なりあべこべ世界が可能であれば，物理的事実はわれわれの世界に関するすべての肯定的な事実を内含せず，唯物論は偽である**」と述べている。

　チャーマーズは，意識というものを自然法則のもとで起こるものであるとしつつも，意識というものは心身二元論と呼ばれるような従来の哲学における立場に対して無条件に与して

98

いるわけではないといえよう。それは，古来，魂や精神や心として述べられてきたものは，たとえばプラトン『パイドン』において「哲学探究は魂の浄化である」として，またデカルトの幾つかの著作において「res cogitans」（思惟するもの）として，それが方法的なものであるかどうかはさておき，魂や精神は身体と分かたれるものとして考えられてきたようなものとは異なる。だが，私たちが「意識」というものが今ここに生じていることを鑑みれば，たとえ自然主義に一定の理解を示すとしても，先に引用したチャーマーズの主張のように「物理的事実が，世界のあり方を余すところなく決めているのではない」のであろうし，そうであるならば，やはりチャーマーズの主張するように，世界の描写のためには一般的な物理法則のみでは足りないということになるだろう。

（Chalmers, The Conscious Mind, チャーマーズ『意識する心』白揚社，163–164頁）

問い

1. 唯物論が成立するならば，どのようなことが言えるだろうか。反対に，唯物論が成立しないならば，どのようなことが言えるだろうか。

2. 意識が物理的なものに付随するのかしないのか，どちらの立場に与するか，理由も述べつつ，論じよ。

キーワード解説

実体（ウーシア）（[英]substance） アリストテレスにおける実体の概念をひとことで言い表わすことは難しい。あえて言うならば，これがなければ他の何ものも存在しないもの，ものの種としての本質，第一哲学により探究される対象ということになろう。

可能態（デュナミス）（[英]potentiality） 現実態になる能力のある状態のこと。たとえば，ニワトリと卵であれば，卵にあたる。卵はニワトリになる能力を有している。それは，卵がニワトリの可能態だからだ。

現実態（エネルゲイア）（[英]activity） はたらきのうちにあり，現実にそれになっている状態のこと。たとえば，ニワトリと卵であれば，卵にあたる。ニワトリになる可能性と能力を有していた卵がニワトリになったとき，そのニワトリはニワトリの現実態である。

完全現実態（エンテレケイア）（[英]actuality） 可能態が，有している能力を完全に発揮した状態。目的が果たされた，終点の，すなわち完成した状態である。

唯物論（[英]materialism） われわれが精神や心，そしてそれにより生み出される表象や観念のようなものについて，物質に基づいて説明するという立場。心は脳の働きであるとする機能主義などは，唯物論哲学の一つの立場である。

アリストテレス（Aristotle）　プラトンの設立したアカデメイアで学
び，「アカデメイアの心臓」とも称されたアリストテレスは，プラト
ンの死後，アカデメイアを離れた後に，リュケイオンという名の自身
の学園を開設した。また，後に地中海世界を統一したアレクサンドロ
スの家庭教師をしていたことでも有名である。

　アリストテレスは，師プラトンとは異なる哲学を打ち立てた。プラ
トンが，「ものそのもの」であるイデアを物質の外に措いたのに対し
て，アリストテレスは，もののかたちの原因となるものとしての「形
相」を，そこに内在するものとした。そして，物質がそのようなかた
ちでそこにあるのは，四つの原因（質料因，形相因，始動因，目的因）
によるものだとした。

　また，アリストテレスは，分類と観察を重んじた。生物の発生に関する観察が，多く残されている。

デイビッド・ジョン・チャーマーズ（David John Chalmers, 1966 –）　オーストラリア出身の
哲学者。オーストラリア国立大学教授。彼は，意識とはどのような機能であるか？　という意識に
ついてのイージープロブレムと，「意識はいかにして生じるか？」という難問である「意識のハードプ
ロブレム」と呼ばれる問題を区別する。そのうえで，後者の問題に関して，意識経験は物理法則に従
わず，客観的な物質世界が主観的な精神世界とどのようにして結びついているかという問題を科学の
言葉で説明することはできないとする立場をとる。

　デネットは，（8 章で紹介した）『思考の技法』の 464 – 467 頁でチャーマーズに対してかなり
辛辣に批判している。興味のある人は，両者の主張にあたってみて，比較しつつ吟味してみるとよい
だろう。

【邦訳】

アリストテレス『心とは何か』桑子敏雄訳，講談社学術文庫，1999 年

古代哲学研究者がよく言うところの，アリストテレスの『デ・アニマ』である。入手しやすく，また
お値段もお手ごろな翻訳としては，これがよいのではないかと思われる。また，京都大学学術出版会
の西洋古典叢書から『魂について』（中畑正志訳）という邦題で出版されている。註，解説，参照文献
表はこちらの方が詳細である。

　アリストテレスにおいて，魂は，可能的に生命を持つ物体の形相としての実体であるという基本的
な定義を踏まえつつ，栄養摂取や感覚，思考，運動などを司るものであるとされる。

【入門書】

戸田山和久『哲学入門』ちくま新書，2015 年

難解であるため，これのどこが入門書なのだと，哲学業界で話題騒然となった，哲学の入門書。唯物
論哲学の立場から，心を物質に基づいて説明した本としては，しばらくはこれが入門書としては最も
難解なものであることに違いない。

山口義久『アリストテレス入門』ちくま新書，2001 年

アリストテレスの哲学を，論理学，自然学，形而上学，倫理学と網羅しつつ丁寧に解説している。今
の時点で，日本において最もアリストテレスの哲学をわかりやすく解説した本であると言える。隠れ
たロングセラーとして，日本中に読者が多い本である。

◎書いてみよう

```
 _____
|                                                        |
|  _____  |
|  _____  |
|  _____  |
|  _____  |
|  _____  |
|  _____  |
|  _____  |
|  _____  |
|  _____  |
|  _____  |
|  _____  |
|  _____  |
|  _____  |
|_____|
```

コラム ドラえもんは精神を持っているのか

　テレレレッテレー！
——という効果音とともに，現代の科学技術によっては決して作ることができない様々な道具たちをおなかにある半円形のポケットから取り出すことでお馴染みの，あの「未来の世界の猫型ロボット」ドラえもんには，明らかに精神というものが備わっていそうな何かを感じざるをえない。しかし，ドラえもんには，本当に精神は備わっているのだろうか。あるいは，私たちが通常の意味で「精神」という語で規定しているものは，ドラえもんには備わっていないのだろうか。
　私たちが通常の意味で「精神」という語で規定している「アレ」が，人間にのみ備わっている「アレ」であるとすると，ドラえもんには，精神は備わっていないということになる。
　では，本当に，そうであるとしたならば，つまり，ドラえもんには精神が備わっていないとすれば，居候させてもらっている家の一人息子が「困っているんだ，助けて！」と懇願してきたときに，ここぞとばかりに，時には舌をぺろりと出しながら，
　テレレレッテレー！
——という効果音とともに，あるときには自分でも使いたいと思えるような，また別のときには何とも摩訶不思議であって使いたいとはとても思えない，そんな道具であったり機械であったりを，その一人息子の前に，そしてまた視聴者の眼前に，これでどうだとばかりに提示するあの行動の（ある意味でアリストテレス的）原因は，一体全体，何であるのだろうか。

バカロレアあれこれ
～フランス人への質問状～

○回答する人

ジュリアン・ムナン(Julien Menant)：
フランスのノルマンディ地方出身。大阪市立大学文学部特任講師。1998年にバカロレアを受験。哲学の修士号とFLE(外国におけるフランス語教育)のMaster 2を取得し，フランスの高校で哲学を教えた経験を持つ。現在，アンスティチュ・フランセ関西や大学でフランス語等を教えている。

●リセの授業——哲学の授業を受けてみて——

——リセ(高校)の哲学の授業はどんな感じでしたか？　先生はどんな感じですか？

　自分の場合は40代くらいの女性教員が担当でした。高校には2～3人専任の哲学の先生がいたと思います。授業のスタイルは，決められたプログラムに沿っていれば自由です。教科書を使用する先生，自分で資料を準備する先生(たとえば哲学者のテキストの引用など)いろいろです。私の先生はテキストのコピーを渡してくれました。

　小論文の添削はもちろんしてもらえます。赤ペンで良いところ，悪いところをチェックしてくれるのです。そして，授業の中で講評として，たとえばこういう議論の組み立て方があるという例などを挙げてくれました。お恥ずかしい話ですが，高校生当時は褒められた場合も直すようにアドバイスされた場合も，なぜそういう指摘をされるのかはっきりわかっていませんでした。方法論の本質が本当にわかるようになったのは，哲学を教えるようになってからかもしれません。

　私はL(文科系)選択だったので，週に8時間哲学の授業がありました。哲学の授業は1コマ2時間でした。今でも覚えていますが，月曜日の午前中8時から10時が哲学の授業でした。週の始まりからなかなかヘヴィでしたね(笑)。

——理系の生徒も熱心に勉強しますか？

　いわゆるS(理科系)選択の生徒たちは，レベルの高い優秀な生徒です。哲学に限らずどの科目も頑張る印象です。だから哲学にもそれなりに熱心に取り組みます。あとはフランスでも日本でも，どのレベルでも同じことだと思いますが，個人差があります。高得点でのバカロレア取得を目指すために哲学も頑張るという生徒もいますし，純粋に哲学そのものに興味を抱く生徒もいるようです。やはり今まで想像したことのない問題について考えたり，国語や歴史とは異なる視点を学んだりしますから，それを面白いと思うわけですね。少なくとも授業中に私語をするとか教員の指示を聞かないとか，そういったことはないと聞きます。

──技術系高校ではどうでしょうか？

　技術系高校では哲学の授業は週に2回あります。やはり抽象的な内容が多いのでついていくのが難しいと感じる生徒も少なくないです。書くのが苦手だと思っている生徒も多いですね。従弟はもう哲学はやりたくない，と言っていました(笑)。あとは当然個人差があります。技術系高校ではディセルタシオン(小論文)よりもテキスト解釈の方に重点を置いていると思います。そういう意味では国語(フランス語)の授業とも近い内容です。

──哲学の授業はフランス人全体の考え方や物の見方に影響していますか？

　ウイでもありノンでもあります。常に反論を用意するとか，自分の考えとは別の視点を持つように心がけるといった意味では，哲学の授業はフランス人全体に大きな影響を与えていると言えます。余談ですが，友達どうしで議論をしていても，フランス人は必ずと言っていいほど，誰かが反論を試みて議論のバランスを取ろうとします。それは分析や比較のためであって，決して相手を否定するためではありません。日本人どうしのように(といっても，日本人どうしの議論の場にどれだけ居合わせたかと言われると困りますが……日本在住歴10年ほどのフランス人の印象です)お互いが同意見であることを確認し合うような議論とは異なると思います。でもフランス人のような議論のスタイルだと，日本人にはアグレッシブに見えると言われたことがあります。日本人は反論を相手への攻撃だと感じることもあるそうですね。

　常に別の視点に立つ可能性を考えるこのような態度は哲学の授業のみで養われるわけではありません。中学校の国語(フランス語)の授業ですでに議論の組み立て方を学び始めます。高校で学ぶような小論文のレベルではありませんが，主張の根拠を示すとか，反対意見に目配りするといったことは国語で身につけます。歴史の授業なども同様だと思います(歴史の試験も当然，論述ですから)。逆に言えば，哲学的手法が国語や歴史の授業にすでに入り込んでいて，高校3年生で改めて「哲学」という科目として再確認しながら学び直すわけです。

──予備校はありますか？

　今はどうでしょうか？　自分のときはなかったと思います。家庭教師はときどきあったようです。小さな地方都市だったし，それほど一般的ではありませんでした。

──参考書は使いましたか？

　私個人は特に参考書を購入したり使用したりしませんでした。ですが，BAC対策の参考書はたくさん出版されています。哲学の場合は「方法論」の説明を冒頭におき，さまざまな哲学者の思想がまとめられているものが多いようです。私の時代にはありませんでしたが，今ですと，インターネットで模範解答例を提示したサイトやバカロレア対策の動画サイトなどを見て勉強しているかもしれませんね。

●リセの授業──哲学の授業を教えてみて──

──フランス人高校生は哲学の授業で何に苦労しているのですか？

　まずは，哲学という科目自体が抱える問題ですが，テーマに興味を持てる生徒とそうでない生徒に分かれてしまうということです。哲学が苦手な学生は抽象的な議論についていくことができ

ず，その時間をやり過ごして終わってしまいます。あとはやはり書くことに苦労していますね。小論文の議論を組み立てること，方法論を会得することはかなり難しいことだと思います。この教科書を使う人にはぜひともしっかり学んでいただきたいです！　ただ私自身も，同じクラスにいた友人もそうですが，方法論の重要性や哲学的思考の深みがわかってきたのはずっと後のことです。それもあって，教える側に回ってからは，すぐには理解してもらえないかもしれないけれど，最低限のルールは覚えてもらって，後からでもその重要性に気づいてもらえればいいな，と思っています。

　あと……実のところ一番難しいのは隠れた問いの発見かもしれません。最も思考力が試されますし，自分の持っている知識をうまく引き出し組み合わせなければなりません。時間をかけてもなかなかひらめかない場合もあります。けれども，面白い問いを発見できたときはわくわくしますね。

——採点はどのようにするのですか？

　良い答案，悪い答案は実はわりとすぐにわかります。これは日本の大学の先生方も直感的に理解してくださるところでしょう。ぱっと見て，守るべき規範に則っているかどうか判断できるからです。良い論文は，構成も分量も求められている条件を満たしています。悪い論文はその逆です。ただし，受験生がどういう思想を持っているのか，問いに対して肯定的に答えているのか否定的に答えているのか，その点は問題ではありません。

　両者の中間に位置する論文に細かく点数をつけていくのが難しいと言えば難しいかもしれません。ただし，チェックする事項はどの先生でもたいてい同じだと思います。フランス式の方法論を踏襲しているか，各段落で少なくとも一人，哲学者の考えに言及しているか（引用していればなお良いです），フランス語自体のレベル（語彙力や文体）が高いかどうかなどです。

　ちなみに採点は完全に匿名で行なわれます。採点者が恣意的な判断をできない仕組みができあがっています。

——教えるときに重視していることは？

　まずはバカロレアに合格させること（笑）。たとえば学年の途中，残り3か月の時点で臨時教員として哲学を教えたことがありますが，前任者はプログラムの半分しか終えてなくて取り戻すのが大変でした。とにかくバカロレアには合格してもらわないといけないから，重要な点に絞って最後まで教えました。あとは当然のことながら方法論が重要です。

　今，日本でフランス語を教えていますが，方法論の点で日本とフランスは本当に大きく違うと感じています。日本人の書くレポートや小論文は，フランスのそれとは議論の組み立て方が異なっていて，フランス人からすると，何を言いたいのか，なぜ反対意見に言及しないのか，不思議なものに見えます。論文ではなくてエッセイみたいです（笑）。問いを立てて議論をするというよりも，ああでもないこうでもないとテーマの周りをぐるぐると回っているように見えます。

　DELF/DALFというフランス国民教育省（日本でいう文科省）が管理しているフランス語能力試験があり，私も試験官をしています（試験官養成の資格も持っています）。口頭試験での出来事なのですが，ときどき自分とは異なる考え，反対意見に言及することを頑なに拒む受験者がいて，これには驚いてしまいます。反対意見に目配りし，それに再反論した方が，逆に自分の主張を補強することができますよね！　アンチテーゼをうまく使わないのはもったいないです！

●バカロレア──試験を受けてみて──

──緊張しましたか？

　なにぶん昔のことで忘れましたけど(笑)，たしかに緊張しましたね。1年間，訓練し，準備してきて，最後で失敗したくありませんから。授業の中でレポートを出したり，模試を受けたりするわけですが，その平均点を下回らないこと，できればこれまでの最高点を出せるよう祈っていました。気分としてはスポーツ選手ですね。試合で最高の記録が出るよう期待する感じです。

──どんな準備をしましたか？

　まずは代表的な哲学者のフレーズを覚えること。哲学者の思想やテキストからの引用は不可欠ですから，知識として覚えておくに越したことはありません。それから授業で扱ったテーマを復習すること。どういう問いがありうるのか，どういう議論がなされてきたのか，もう一度ノートを見ておきました。

──長い時間をかけた論述だけれど，途中でいやになりませんか？

　実際に受けてみるとわかるのですが，4時間なんてあっという間です！　長いように思うかもしれませんが，プランを考えて，下書きをして，清書しているとすぐに時間は経ってしまいます。A4の用紙で5〜6枚は書かないといけませんから，時間いっぱい使って取り組みます。

──バカロレア対策として何が最も重要？

　哲学者それぞれの考えを知り，ある程度の内容を覚えておくことはたしかに重要です。引用したり言及したりする必要がありますから。参考書には，直前にバカロレア対策としてチェックできるように，代表的な哲学者の考えが短くまとめられた付録なんかもついています。でも何よりも方法論が大事です。構成がきちんとできていないと点数が低くなってしまうからです。

【付録】過去のバカロレアの問題（哲学小論文のみ）

〈文科系〉

・文化はわれわれをより人間らしくするだろうか？（2018）

・真理をあきらめることはできるだろうか？（2018）

・時間から逃れることは可能か？（2019）

・芸術作品を解説することは何になるのか？（2019）

〈経済社会系〉

・あらゆる真理は確定されているだろうか？（2018）

・芸術に対して無感覚でいることはできるだろうか？（2018）

・道徳は最良の政策なのだろうか？（2019）

・労働は人々を分断するか？（2019）

〈理科系〉

・欲望はわれわれが不完全であるしるしだろうか？（2018）（→次ページに解答例）

・不正義を体験することは，何が正義であるかを知るために必要だろうか？（2018）

・文化の多元性は人類の一体性を妨げるのだろうか？（2019）

・義務を承認することは，自由をあきらめることなのか？（2019）

〈技術系〉

・経験は欺くものであるか？（2018）

・技術の発展を制御することは可能だろうか？（2018）

・交換されうるものだけが価値があるのだろうか？（2019）

・法はわれわれを幸せにするのか？（2019）

【バカロレアの問いへの解答例】

欲望はわれわれの不完全さのしるしなのだろうか？

　どのような職業を選択するのか，あるいはどんな大学を選ぶのか，その決定をすることは容易ではない。私たちの夢と能力とを折り合わせねばならないように思われるからである。困難な目的を設定し，難しいにもかかわらずそれを実現しようとすることは，大きな歓びの源泉である。しかしながら，失敗することは大きな苦しみとフラストレーションのもとであろう。そもそも，欲望は自分の持っていないものを対象としているがゆえに，自分の現在の状況を越え，自分に欠けているものを埋めるという意志を際立たせるように思われる[†1]。

　したがって，欲望がわれわれの不完全さのしるしかどうかを問うことは自然である。欠落を埋め，限界を越えようとすることによって，欲望は，不十分であると思われる自分の状況を改善しようとする人間の欲求を強調しているように思われるからだ。また，欲望が歓びの源泉でありうるとしても，自分の持っていないものを所有したいと望んだり，もともとの自分とは別のものになりたいと願ったりすることで，欲望はわれわれに不幸に陥れる危険がある。それでも人間は欲望し続けねばならないのだろうか[†2]？

　この問題を考えるために，われわれはまず，なぜ欲望が人間にとって根本的な欠如のしるしなのかを検討する。次に，どのようにそれを越えることが可能なのかを見る。最後に，欲望はそれ自体で善いものでも悪いものでもなく，われわれが幸福になるためにコントロールすることにかかっていることを示す[†3]。

＊＊＊[†4]

　欲望とはわれわれの不完全さのしるしである。というのも，欲望はわれわれが今持っているもので満足するという困難を強いるからである[†5]。

---

†1　まずは，問いについて二つの側面(肯定的な面と否定的な面)を示す具体例から始めるのがよいでしょう。こうして検討すべきパラドクス，あるいは両義的な問題を作り出すことができるのです。

†2　与えられた問題はこのように自分なりの問いに書き換える必要があります。そして問いの難しさを強調しておかなければなりません。ここでは欲望の性質そのものを問いにしました。

†3　以上が序論にあたります。最後の段落では次から始まる本論について触れています。簡単でよいので，どういう構成になっているのか概観しておきます。本論は必ず二つか三つの部分で構成されます。それぞれのパートは，それぞれ一つの主要な考えに対応しています。ここでは三つのパートから構成される実例を考えてみました。

†4　各部分の分かれ目がはっきりわかるように，スペースを設ける必要があります。具体的に言えば，序論と本論の間，本論と結論の間に数行の余白を入れるか，ここにあるように「＊＊＊」のような印を入れます。

欲望とはある一つの対象（物であれ人であれ，現実の世界のものであれ想像上のものであれ）に向かっていく主体の原動力であり，主体を行動へとおもむかせる。しかし，欲望は欲求と混同してはならない。なぜなら，欲望は決して完全に満たされることはないからである。それは更新され，増幅される。だからこそ，エロスは生殖の欲求に還元されえない。エロスは欲求を越え，複雑化し，想像と歓びを含むのである。[†6]

　たとえば，プラトン『饗宴』では，アリストパネスの神話が紹介されている。その昔，人間は球形をしていて，頭を二つずつ，手と足を四本ずつ持っていた。それには男男，女女，男女という組み合わせがあった。この人間たちは強かったが驕り高ぶっており，怒ったゼウスは二つに断ち切ってしまった。こうして人間たちはかつての姿をなつかしがり，自分の半身を熱望するようになった。エロスという相手を恋い焦がれる思いはこのように人々に植え付けられているというものである。この神話は，人間は根本的に欠如しているものであり，不完全であるがゆえに，当初の能力を取り戻すために自らの半身を探し求めねばならないということを表現している。

　以上から，われわれには欲望と欲求を区別することが必要であり，欲望は人間の不完全さを強調しているとわかった。人間は満足をすることを知らず，その不幸せゆえに欲望は非難される。しかし，欲望は人間に限界を越えるよう促すがゆえに，進歩の原動力でもあるように思われる。[†7]

＊＊＊

　個人のレベルでは，欲望はしばしばわれわれの不幸の原因となるが，社会のレベルでは，進歩をうながしている。

　人間においては，日常生活のどんな場面も文化的である。つまり，衣食住といった生きるために必要な活動であっても，常に欲求の域を越えている。したがって，技術的あるいは文化的な進歩は，こうした原初的な飢餓感に由来している。このような飢餓感がなければ，人間はいまだに洞窟で裸のままに生きていたことだろう。科学・技術・芸術・奢侈はわれわれの先祖がすでに所有しているもので満足していたら不可能だった。したがって，文化とは欲望に由来するのである。

　そのうえ，欲望の大部分が世代を越えて受け継がれるため，単なる個人という枠組みを越えている。たとえば大聖堂の建築や，科学技術の進歩や，政治的プロジェクトの実現といったように，個人あるいは一生というスケールでは実現不可能なものがある。それは，人間が自然を支配する力を強化するという欲求を満たそうとするものである。文化を通して自らの存在を完成させることに加え，人間は自らの野望と欲求を子孫に伝えることで死という条件を乗り越えることができる。

　しかしながら，このような進歩は人間をより良いものにするのだろうか？　ルソーは『学

---

†5　各パートはこのように主要な考えと前のパートで得た成果を明らかにする文章から始めてください。

†6　概念を明確にすることは重要です。ここでは「欲望」と「欲求」を区別しています。

†7　各パートには暫定的な結論を書いておいてください。これが次のパートへのつなぎとなります。

問芸術論』において上述の主張を否定し，逆に科学と芸術の進歩に伴う贅沢は人間の魂を傷つけるだけだと述べている。これらの進歩の起源には，ほとんどの場合，欲望や義務の制約がある。たとえば新薬は，大規模に販売できる場合にのみ生産されることだろう。このような研究は，人類の利益のためではなく，彼らが生み出すことのできる利益のために行われる。

　以上のように，欲望は社会のレベルでの進歩の原動力となることによって，人間の限界を超えることを可能にする。しかし，このような力を自然に与えることが良いのかどうかを疑うことができる。地球温暖化，消費主義的な生活によって生まれた社会的不平等の維持，あるいは増加は，未来の世代を危険にさらしている。したがって，より「文明的」であることが，より良いとは限らないのである。

＊＊＊

　ここまでわれわれは，欲望は単なる欠如のあらわれではなく，欲望によって人間は自然に対する力を明示し，有限性を乗り越えるということを見てきた。しかしながら，欲望は人間をより良くするものではない。欲望には限度を設けるべきだろうか？

　上述の二つのパートでは，テーマに含まれる暗黙の主張を明確に問題化していなかった。つまり，人間は不完全であるということである。ところで，この主張は完全なる神と不完全なる人間というユダヤ・キリスト教的命題に根拠を置いている。しかしながら，古代においては，英雄譚などで語られるように，神々もまた情念(愛・欲望・憎しみ)にとらわれている。したがって，人間の性質がそれ自体で不完全であると仮定することはできないし，この状態をとがめることもできない。

　このような人間の不完全さの次元を排除し，人間がどうあるかを考察して欲望を非難するのではなく，単に欲望がどのようなものであるかということを考えるべきであろう。ところで，欲望はそれ自体ではなく，その目的あるいはその形態によって非難されるべきである。不可能なことを欲望することは不幸に陥ることであり，決して満足せずに欲望することは傲慢をむき出しにすることである。

　古代の知者たち，たとえばエピクロス学派やストア学派の知者たちは，理性と意志を通じて欲望をコントロールするよう求めた。欲望は意志とは別物であり，情動によって動かされ，情念の影響を受ける。一方，意志は理性によって支配され，われわれを行動の主体とするのである。欲望を熟知することによって，アタラクシア，すなわち魂の平穏な状態に到達することができるのだ。アタラクシアとは，欲望や欲求を感じないということではなく，苦しみがないという状態を指す。理性によって欲望を統御することは，欲望に完全に従属するよりも容易である。デカルトが『方法序説』第3部で述べるように，「世界の秩序よりもわれわれの欲望を変える」方がよいのである。

　理性によって欲望を制御することで，われわれは，完璧ではないにしても，より良く，より幸せになることができるだろう。

＊＊＊

　欲望とはわれわれの不完全さのしるしなのだろうか？　この問いには「否」と答えること

ができる。なぜなら欲望それ自体が悪なのではなく，その目的あるいはその形態が非難されるべきだからである。そのため，われわれはまず欲求から欲望を区別し，欲望を満たすことは欲望を強めることでしかないということを示した。次に社会のレベルでは欲望がどのように進化をうながし，われわれのリミットを越える助けをするかを検討した。最後に，幸福になるためには欲望を制御することが重要であると論証した。[†8]

[†8] 結論は短くしなければなりません。問題を再度繰り返し，それに対する明確な答えを出す必要があります。各部分の主な議論をまとめ，新しいことを付け加えてはいけません。小論文の目的は与えられた問いから手持ちの知識を動員して，自分の考えをきちんと整理できると示すことであって，読み手を驚かすことではないのですから。

座談会　なぜ哲学を学ぶのか

非-正統的な哲学の始め方

三浦　なぜ哲学を学ぶのかというテーマですけど，まず，では我々はなぜ哲学を学んだのかという，自分たちの経験から話したほうがいいのかなと思います。皆さんが哲学の世界に入ってしまった，哲学を学んでしまったきっかけのようなものってありますか？

松井　じゃあ，三浦さんからお願いいたします。

三浦　僕は，高校1年生のとき倫理が必修だったんですけど，最初の中間試験がいきなり赤点で。もうソクラテスとか，大嫌いだったんですよ。で，高校3年生のときは漠然と法学部とかを受けたんですけど，全然ダメで。河合塾で浪人してたんですが，河合塾ってね，現代文がすごく解説が詳しくて，模試の解説とかを読んでいくにつれていわゆる評論文を解くのが好きになって。あと，夏になぜか太宰治の『人間失格』を読んじゃって。で，結局，大学に入った時は哲学科だったんですよ。だから，ほんとに行きたくてっていうよりは，最初の出会いがあんまり良くなくて，ずるずるずるっと何かこう，徐々に絡め取られていったみたいな感じだったんですね。でも，哲学科には入ったけど，哲学科の同級生たちは，じゃあデカルト読もうぜとかカント読もうぜとか，そういう人たちもいたんですが，その中に入っていくこともできなくて，まず自分にとってのそのときの問いっていうのを，ちゃんと扱ってる哲学者を，見つけなくてはいけないと。哲学科に入ったからデカルトとか，カントとか，ヘーゲルとか，そういう大御所にいくってことにすごく抵抗があって。で，卒論は結局レヴィナスだったんですが，自分にとって，自己と他者という主題がすごく問題だったので，それをああでもない，こうでもないと考えてた時に，当時レヴィナスが流行り出してたこともあって，卒論をレヴィナスで書いた，と。僕はだから，そういう意味でいうと，哲学はちゃんとした正統なところから入っていないっていう引け目はありますね。

松井　じゃあそこから，アーレントに進んでいった理由ってのは何なんですか？

三浦　レヴィナスの他者は，結局，ユダヤの神とかなんで，つまり他者って自分の理解を溢れるものとか到達できないものなんですよね。で，その定義が苦しかった時に，アーレントの『人間の条件』を大学院の演習で読む機会があって，そのときに「活動 action」っていう彼女の有名な概念，それは「他者の存在を必要とする」っていう文章があったんですよ。つまり，労働は一人でもできる，制作，仕事も一人でできる。だが活動だけは，他者の存在が要るんだっていうのが，自分にとっては「あっ」って思って。その文章から，「この人だ」って感じて進んでいったんですよね。

吉田　なるほど。

三浦　だから僕は，デカルトとかカントってのは正統な哲学者だとみなしてるんですけど，まあそういう意味でいうと裏口から入ったというか。まあアーレント自身が哲学や神学を学んでから政治のほうにいって，「自分は哲学者ではない」と常々言ってたので，僕自身はやっぱりそういう意味では，何だろう，哲学の批判をする人というか，そういう感じですね，自分の役目は。

松井　哲学の中にありつつも，現代の哲学業界のありようとかに対して……

三浦　いや哲学業界に対してというより，哲学のありかたそのものに対してですかね。

松井　哲学のありかたそのものに対して，ある意味クリティカルに問いを発する存在だと。なるほど。そういうことができるってすごいなと思いますね。僕なんかはもう，俺のやりたいことをやるっていう，なんていうか売れないミュージシャンみたいなところがあるじゃないですか。性格的な（笑）だから，すごいなと思って。

三浦　でも，こうしかやりようがなかったんだよね，僕は。

フーコーをやるためデカルトに？

松井　じゃあ曽我さんに行きましょう。

曽我　大御所と呼ばれてしまったデカルト（笑）ですけど，私は元々，文学部に入ったときに，歴史をやろうと思っていました。高校の日本史がとにかく面白かったんです。網野善彦なども読んで何ていうんでしょう，表の歴史じゃない裏の歴史というか，庶民の話とか絵巻物を読むとか，それは

面白そうじゃないかというふうに思っていました。それで，大学に入ったら歴史をやろうかと思ってたんだけども，よくよく突き詰めて考えていったときに，私は歴史が好きなのか，人間に興味があるのか，どっちなんだろうっていうふうに悩み始めたんです。人間のことを考えたいんだったら，もっと根本的な学問がありそうだと思い始め，もしかして哲学がそれかもしれないと迷い始めたんですよね。同時にその頃，フーコーの「人間という概念が消滅する」を読んで，全く意味がわからなかったんです。私は人間に興味があると思ってるのに，人間が消えるかもしれないって言われてしまったらどうすればいいのか。そうなったら，じゃあ何を勉強しなきゃいけないのかってことを考えたんですね。それで，いきなり現代思想をやっても，多分ダメだろうとはぼんやり思っていました。それは先生たちの話を聞いたからでもあるし，現代思想が何から成り立っているのかというと，遡ってフランスだったらデカルトじゃない？　っていうことでもあったし。フーコーをやるために，デカルトをやって，でも全然フーコーに辿り着いてない（笑）。

吉田　標的が先に（笑）。

曽我　で，はまり込んでしまったんです。デカルトを読んだら学部の時は，「懐疑」と「私」のところにどっぷりはまりました。もう抜け出せない，何だこれは，って。やっぱり，衝撃的だったんですね。元々歴史のなかでの人間の営みを考えたいと思っていましたが，哲学では，全然レベルの違う話がそこで展開されていました。疑いっていうだけで，考えるだけできりがないくらいあり，そこから出てくる「私」の話だけでもきりがないくらいあって，というのが，私のなかの最初の哲学の出発点です。まだあんまり抜け出せてないかも知れないですが。

三浦　でもそれで懐疑とか「私」ってことを考えだして，日常の生活とバランスが崩れることはないんですか？

曽我　最初はもう，それこそ日常が幻とか，疑わしいとか確実なものは何もないというふうに思い始めるんです。ただ，それと同時に，私は多大に米山優先生の影響を受けているのですが，米山先生はまずライプニッツの専門家として私の前に立ちはだかるわけです。そしてライプニッツのほうが現実を愛してるって言うんですね（笑）。あ，なるほど，と思えてしまう。先生はあえて反論してくださるんです。あと先生はアランがすごくお好きなんです。アランはデカルトを踏まえながらも，美であったりとか，人間の身体をどう統御すると

か，それこそもっと現実的に生きるときに，何をすべきかっていうこと，哲学の活かし方という話をしています。常に人生を生きていく上での悩みと連関させながらアランが語ることを，先生がさらに語りなおしてくれるわけです。「これがデカルトから始まっているのか」という道筋をつけてもらったわけですよね。デカルトだけ読んでると，全然それが見えてこないのに，先生の目から見るとそれがスーッと見えてくる。それがすごく不思議でした。先生の授業に出ると，すごくわかった気になって，自分が人生のなかで抱えている悩みも晴れるような気がするのに，家に帰ると，「あれ，おかしいな」って（笑）。もう道が見えない，霧がかかってる。授業のなかでの，あの「見えた」って思ったのは一体何だったんだろうとか，「騙された」（笑）。と思いながらも，なんとか常に立ちはだかる先生の前でもがきながら私はずっとやってるっていう感じですかね。

松井　米山先生はその時どんな授業をされてたんですか？

曽我　私ね，先生の「アランを読む」というゼミを取ったんですよね。

松井　哲学ゼミみたいなのが，初年次向けであるんです。

曽我　そうそう，それを2年生から取りました。フランス語の原文で，アランの『定義集』を読む授業。で，1回の授業で1パラグラフしか進まないのに，そこから，話がどんどん広がっていく。もうアランのいろんなテキストを参照しながら，日常生活で人間がぶつかる問いにもリンクさせつつ，この短いテキストが，こんなに厚みと広がりをもって見えてくるんだっていうのが，私のなかでは衝撃でした。そういう読み方ができるのかと。もちろん文学部も，1パラグラフだけしか進まないんだけれども，あんまり日常的な問いとかって……

松井　ああ，しなかったですよね。

曽我　文学部哲学科でも，「デカルトはここでもこう言っている」という話をするんだけれども，米山先生の場合は，それが生の部分というか，人生に広がってたのが，すごく私のなかでは大きかったですよね。

松井　その，なにかリアルなものっていうか。

曽我　うん，自分のその当時の，20歳ぐらいの自分のリアルとかとリンクさせてあった哲学だった。ほんとに。

三浦　デカルトを足場っていうか準拠点にして，そこからこう，いろいろなものを見ていこうっていう，そういう感じですかね。

曽我　だからいまだに私，自分がデカルトの専門っていう感じが自分でしないっていうか。まあ，周りもあんまりそう見てくれないですけど。

吉田　アランのその授業でも，結構デカルトに関連して，お話をするっていう。

曽我　そうですね。しかも，米山先生が，ご自分はライプニッツをやりながらも，「僕はデカルトのほうが好きかもしれませんね」と言うから，ますます「じゃあ私はデカルトを頑張ろうかな」って（笑）。米山先生の師匠が，福居純先生で，デカルト専門の方だったんですけど，その影響があります。そんな感じです，私は。

古代ギリシャ哲学がくれた光

吉田　面白かったですね。

三浦　じゃあ，プラトンにいくかウィトゲンシュタインにいくか。

松井　まあ，古代に進んでから現代にいったほうが面白いかもしれないですね。

三浦　どんどん源流に。

松井　源流に。ただ僕の場合，自分の哲学のルーツって皆さんたちと全然違ってて。自分は，物心ついたときから，相撲が好きで。僕の名前の「貴」の字は，先代の大関貴ノ花の「貴」なんですよ。で，貴ノ花，すごく応援してたんですけど，小学生のときに，引退するんですよ。30歳で，たしか。そうすると，人生70年くらい生きるのに，残りの40年って，この人って虚しいだけなんじゃないのかなって。

三浦　余生だね。

松井　余生だなって思ったんですよね。それでしばらくずっと貴ノ花が引退したショックで，どこに行くにも，「やー，貴ノ花引退して残りの40年どうするんだ」って，ずっと考えてた。ある時友達の家に遊びにいって，一緒に宿題をやってたの。一緒に宿題をやりながら，ふと，あ，なんか，30歳で引退して，その前に人生のピークが来る人生って，人生設計的にちょっと失敗というか，あんまりいい人生設計じゃないんじゃないかなって思って。で，どうしたらいいんだろうって。頂点が40代に来てたら，上がって40代でピークが来て，ゆっくり下がっていけばいいんじゃないかなって。そんなふうに40代に人生のピークが来るのっていいんじゃないかなって思ったということがあったんですよ。それって，今から思うとギリシャでいうところのアクメなんですよね。俺，子どもの頃に目を瞑ってバット振ったらホームラン打ってるじゃんって（笑）。多分原点がこれって

いう。ただそれは，ずっとその後目を閉じてバット振ってもヒットが出ない日々が，ホームランどころかヒットも出ないっていうか，ボールに当たりもかすりもしない日々が続くんですよ。

三浦　それ小学校の，3年とか？

松井　3年ぐらいですね。で，全然もうバット振ってもボールにかすりもしない日々が続くんですけど。その後，高校2年生のときに，現代文の先生が「これから皆さんと一緒に読んでいく文章ってのは，皆さんが今まで読んだ文章のなかで，最も抽象的で最もわかりにくい文章だと思います。最も難しい文章だと思いますけど，頑張って一緒に読んでいきましょう」って言った。読み始めていくと，僕が今まで読んだ文章のなかで，最もわかりやすくて最もクリアで，おお，これすげー！って思って。これだよこれ，って。たぶん，それが2回目の山なんですよね。1回目の貴ノ花のやつは，あれはまあ，子どもの戯言みたいなものなんですけど，直接的なきっかけはそれかもしれない。

自分は理系だったんですよ。とりあえず理系に行ってればって感じだったんですよ。で，化学のほうが，学年で3位とか4位とかだったりしてて。それで高校2年生のときの担任の先生からも，まあ，名工大くらい受かるから，もっと頑張って名大目指しなって言われてたんですよ。でも全然勉強してなかったんですよ。勉強好きじゃなくて。面白くないなって。勉強して，そうやって大学行くのって普通かもしれないけど，でも面白くないなって思ってた。

で，その国語の文章が，中村雄二郎だったんですよ。

三浦　おお，こないだ（2017年）亡くなったけど。

松井　そう，こないだ亡くなった中村雄二郎。中村雄二郎すげーって思って。ちょうどその頃，高2の冬に，1月の芥川賞が池澤夏樹だったんですよね。で，池澤夏樹の本の装丁がすごく美しかったんですよ。おおって思って。買って読んで「あ，俺やっぱ文系だわ」って思って，先生方に挨拶に行くんですよ。お世話になった理系の先生方に，あの僕ちょっと文学部に行こうと思うんでって。そしたらすごい止められて，いや松井君，化学だけでも2次試験行けるとこあるしって言われたけど，自分はもう，絶対文系行きますよって言って。文系に行ったものの，文系の英語，2年間勉強してなかったツケがどーんって来るので，びっくりするくらい成績が落ちていくんだけど。でも，たぶんルーツはそれかな。

何でプラトンに，っていうと，まあ大学入って色々本を読んだりするんですけど，大学入るとな

んかスノッブ野郎みたいな感じで「おう，俺は難しい本とか読んでるんだぜ」みたいなふうに思いたくなるとこってあるじゃないですか。大学の生協へ行くと，『現代思想』とかってあるし。買って読むわけですよ。わけわかんなくても。それで，現代風の哲学に憧れるんですよね。戸田山和久さんの授業を受けたりすると，現代の哲学の授業とかやるから，うわーすげえ，現代だよこれやっぱり，って思って。で，現代の哲学とかやるんだけど，あるとき，なんか一年くらい経ったくらいかな，現代の哲学って俺の疑問に何にも答えてくれないかもしれないって思った。じゃあ，現代の一つ前はなんだろうって，いろいろ読んで勉強していくんですよね。でも，全然答えてくれないんですよ。覚えてるのは，カントは俺の疑問に答えてくれないなってことで，「ビッグネームなのになー，カントダメだなー」って（笑）。カントの研究者の皆さんごめんなさい（笑）。

　で，やっていくと，デカルトは結構答えてくれそうだったんですよ。とりあえずペンディングなんですよね。これが，今から思うとビックリするのが，デカルトの一つ前っていうと中世に入っていくじゃないですか。中世に入ったときに，デカルトまでの近代以降の哲学のモヤモヤがパッと晴れるんですよ。中世の方に入っていくと，青空が広がるんですよ，自分の頭の中に。え，どういうことって感じになるじゃないですか。でもまだ，中世では正解は出なさそうだったんですよ。そして，古代に行くんですよ。中央図書館の，どの本か覚えてないんだけど，ギリシャ哲学のコーナーのどこかで本をたまたま手に取って，本を開けた瞬間に，本から光が出たんですよ，パーッと。「あ，俺ギリシャ哲学だわコレ」って思ったっていうのがあって。それですね。ところで，1年生の後期に，米山先生の哲学史の授業が共通の科目であったんですよ。学生が数人しかいない授業だったんですけど，プロティノスをやってて。すっごい面白かったんですよ。プロティノスすっごい面白かったんだけど，プロティノスは残念ながら自分には答えを出してくれなかった。デカルトを超えたあとの青空が，プロティノスを勉強してるときはちょっと雲が多くなってて，曇り空になっていた感じで。あー，プロティノスじゃないなって。

　で，ギリシャだ，って思ってパーッと広がったっていう，自分の印象なんですけど。だからギリシャに進んだのは，何か自分が，これは自分に答えを出してくれる，答えを出してくれるっていう言い方でいいか悪いかわからないんだけれども，ああ，これが俺の求めていたものだって思いましたね。

あとはもう，とりあえずギリシャ語の授業とかラテン語の授業を受けてたんですけど，もうラテン語どうでもよかったですよね。とりあえず受けてたんですよ。でもとりあえず受けてる程度だとやっぱり単位取れないんですね。だから古典ギリシャ語の授業は優だったけど，ラテン語の単位は落としましたもんね。あー，やっぱりギリシャだよ，って。一貫して認識の勉強やってるのは，わかんない，何でかは（笑）。

吉田　求めてるものってのは，どういうものを求めてたんですか？

松井　その当時の？

吉田　そう，その当時の。求めてるものが見つかった，ってなったときに求めてるものってのは？

松井　何でしょうね，今となっては覚えてないんであれなんだけど，なにか……，あ，そう，ブラックっていう解釈者がいて，彼が『メノン』の註釈で書いてるんですけど，イデアってのは見る，英語のseeですね，直知するってことなんですけど，そういうものかもしれない。なにか自分がイデアの知識のようなものを直知するような感じで。なにかギリシャ哲学の本を開けて光が出たって言ってるけど，たぶん読んでるんですよ。絶対読んでるんですけど，そのときになにかピンとくるものがあったんだろうなとは思います。ただ，具体的には今となっては覚えていなくて。

吉田　確かに，カントだと，なんかこうピカーッとは来ないような気がしますね，ぐちゃぐちゃして（笑）。

松井　そうですね。天野貞祐訳の『純粋理性批判』を，第2巻の途中までは読んでるんですよ。1年生のときに。で，もう何言ってるんだこれって。わけがわかりませんぜって感じで，っていうのは覚えてるんですよね。

三浦　曽我さんと松井さんが面白いのは，お二人とも，米山先生って情報文化学部の先生でしたっけ，だから文学部哲学科の先生ではなく……

松井　当時，まず出会うのは教養部の先生なんですよ。そのあと学部の先生に出会うのが，2年生の秋ぐらいからですよね。だから1年半くらい経ってからなんですよ。当時，名古屋大学の教養部には，上から，ハイデガーの赤松宏先生，それとあと米山先生と，戸田山先生がいらして。最初に知り合ったのは，それで，まず哲学の洗礼を受けるみたいな感じだったんですね。

3 億年の歴史と哲学

三浦　わかりました。教養としての哲学について

は，今後改めて考えなくてはいけないと思うんですけど，じゃあ，最後に……

吉田　私は結構人の影響は受けてきたんじゃないかと思うんですね。父親が地質学の研究者で，専門はプレートテクトニクスっていって。3億年くらい前に地球はどういう姿をしていたかっていう，そういう研究をしてまして。で，まあ子どものときから外国も含めて連れてってもらって地層を見せてもらったりとか。いろいろ話も聞かせてくれて。そういうなかで話してると，なんか人間ってのはものすごいちっぽけなものだなという感じが。父親にとっては100年前も1000年前も大したことなくて。地震の予測なんてナンセンスもいいところで，何億年という地球の歴史のなかでほんの一瞬の出来事っていう。で，そういう話ばっかり聞かされてると，とても虚しいような気持ちにもなり，またすごくロマンが広がるところもあったんですよ。まあ，そういう気持ちになって。で，最初は，生物学者とか，地質だと父親と同じだから違う学問をやりたいなと思ったんだけど。まあ，もう子どもの頃から学者になろうと思っていて。研究をしたいというふうに思っていたんだけれども，どうもやっぱり人間に興味を持ったんですね。どうも父親の言うことは浮世離れしてるんじゃないかっていう（笑）。

松井　まあ，3億年ですからね（笑）。

吉田　人間のこともどうでもいいし，学校の友達のこともどうでもいいんだって言われると，たしかに説得力はあると思ったんだけど，そこで言い負かされるのはちょっと嫌だと。何か疑問があって。特にその，家族とか友達と接してると，やっぱり人間関係だったりとか，もっと人間的なことがあるんじゃないかっていう思いがあって。それで，だんだん文学とか，それから歴史とかですかね，そっちの方に興味を持っていって。で，高校の頃に，和辻哲郎の『風土』を読んで。あれはかなり，哲学と倫理と，歴史とかいろんなものが混じりあったテキストで，非常に面白かったんですね。で，僕は大学に行ったら文化の研究をしようと，そのときは思ってたんですよ。でも大学に入って，歴史とかの授業を受けると，どうも実証なんですよね。歴史って基本的に。

松井　大学ってそうですね。

吉田　僕は，ハンムラビ法典についてとか，自分の思いを書き綴ったら，「君は歴史に向いてない」って言われてしまい（笑）。文化の方もどうもね，文化人類学もいいななんて思ってたんですよね。特に父親に付いてヒマラヤだとかインドだとか，けっこうあちこち連れていってもらったりして

んで。そういう世界のいろいろなあり方を見ながら，考えていくのもいいなって思ったんだけど，どうもこう，なんかしっくりこないっていうんですか。ちょっともやもやしたものがあって。そんなときにね，北大だったんですけど，新田孝彦先生が倫理学入門みたいな感じで，義務論の話とか功利主義の話をされて。で，それがどうも自分のなかで，概念をそのままにしておかないっていうんですかね，「良い」っていうのはどういう意味で良いのかっていうふうに，ただ良い悪いを語るんじゃなくて，言葉の正確な定義をしながら掘っていくのに触れて，これはすごいと。たしかに父親が言うように人間なんてと言ってしまえばそれで終わりかもしれないけれど，そこをあえて掘っていくっていうのは素晴らしいことだなと思った。それでこれはもう哲学をやろうとそのときに決めて。で，北大は入ったときは，文系って感じで入るんですよ。文一系，文二系，文三系みたいな感じで。そのあとに振り分けがあるんですけれども，もう迷わず哲学に行くことにしました。

三浦　それは，学部の2年から3年？　あるいは1年から2年？

吉田　3年生になるときですね。学部と学科を選ぶ感じで。で，そのとき選んだ先生は，フランス語だったっていうこともあって，デカルトの坂井昭宏先生，倫理学，それから近世哲学をやっていらした。ただ，どうもデカルトはすごく立派過ぎて，なんかこうね，神は存在するとか，ちょっとついていけないなっていう感じがあって。それからやっぱり，僕の一番の関心は，自然科学と人間の関係っていう，デカルトもまさにそうではあるんだけれども，やっぱりパスカルにすごい惹かれたんですね。デカルト的な人間の捉え方とか神の捉え方，自然の捉え方っていうのに対して，パスカル的な捉え方が僕にはぴったりくるっていう感じでしたね。それでまあパスカルに。

三浦　最初はパスカルだったんですね。

吉田　最初パスカルで卒業論文を書きました。で，すごく面白くて。ただまあ，なんかどうしてもわからないのが，神の問題とか，パスカルの場合は信仰の問題があって。自然科学と，われわれの日常生活とか社会生活と，そして信仰っていう三つのフェーズがあって。その三つ目のフェーズはどうもキリスト教がピンと来ないというところが僕にはあったので。それからやっぱり，もう少し現代社会の問題を考えたいという気持ちもありました。それでウィトゲンシュタインをやることにしました。言語がドイツ語で，しかもウィトゲンシュタインは論理学なので，経験ないからけっこう大

変だったんですけど。浪人とかもしながら，大学院から京都の方に行って，ウィトゲンシュタインをやることに。

そうですね，だから僕は最初から考えていくと，まあ今でもそうなんですけど，あまりこの人でなきゃいけないとは思ってなくて，ある問題をやりたいってのがすごくあったんですね。で，それは確かに，テキストを使って自分の考えを深めていくことで，概念がすごく正確になっていくなって感じもあったんで，非常に面白くて。言葉にすると，それは自分のなかでしっくりと落ちついてくるので。少しずつ溜まっていくっていうんですかね，頼れるものができていくっていう感じがあったので。一方では，やっぱり経験から考えるっていうのが，外国に行って刺激を受けたとか，子どもの頃にこんな経験をしたとか，経験から考えるってのがすごく自分のなかでは大きいので。まあ，大学時代には山登りをしてたんで，北海道の冬山とか，北海道じゅうは自分の庭みたいな感じで楽しんでいて。そういう経験と，これまでの哲学者の考えてきたことをうまく擦り合わせながら自分で考えていけたらいいなっていう感じで。そんな感じで哲学に今も触れてる感じですね。

曽我　ちなみに，その地質学者のお父様はどんな反応なんですか？　哲学に対して，あるいはウィトゲンシュタインに対して。

吉田　ああ，あんまり語らないですね。昔は，子どもの頃は結構ね，父親といろいろ哲学的なことも語ってましたけど。たとえば，自分の身体をちょっとずつ削ぎ落としていって，最後どこまでいったら自分といえないかみたいな謎を出されて，あれこれ考えて。そういうのはすごく好きですね，父親は。トロッコ問題じゃないけど，誰と誰と誰を選ばなきゃならないってなったらどうするかとかね。ただ，そういうときに父親はすごく論理的に考えるんです。で，論理的に考えるのは，まあ確かにそれはそうだけれども，なにかちょっと納得いかないなと子どもの頃から思い続けてたのは確かですね。たぶん社会っていうフェーズをわりとすっとばすところが，自然科学者にはありがちなんですけど。自然と人間っていう捉え方で。でも，その前に，社会とかコミュニティとか他者とか，そういうものもわりと重要なので。そこらへんが父親とは，最近はあんまり話さなくなりましたけどね。また，死期が近づいてくると父親もいろいろ話すかもしれない（笑）。

自然科学から見ると，哲学ってすごく不思議な視点だと思うんですよ。すごく自分中心主義っていうか。人間ってなんだろうとか，ある意味ど

うでもいいことだと思うんですよ，地球的に見れば。そういうことにものすごくこだわっていて。普通に自然科学的に見ると，人間なんてほんとに始まったばっかりだし，すぐ滅んでしまうかもしれないし，考えてもしょうがないようなことに必死にこだわるっていうのは，すごく，失われそうなところに対して，拠点になるって言うんですかね。反撃していく拠点になるような視点なんじゃないかなと思います。

教養科目での哲学の教え方の工夫

三浦　そういうことで，いちおうこの4人は哲学を専門的に学んだわけですけど，今私たちが教えているのは，専門的な哲学というよりは，教養としての哲学ですよね。そのときに何か工夫というのはありますか？　哲学を専門に勉強するわけではない学生に，それでも哲学とか人間とかについて興味を持たせるために，各自が取り入れている工夫は。

松井　そうですね，僕が哲学……大学に入って最初の授業は戸田山先生だったんですけど。戸田山先生の授業はとても面白かったんですね。興味深かったので，戸田山先生の授業を受けたときの，あの「面白い授業だった」っていう気持ちのようなものを，学生に持ってもらえるように，っていうのがまず一つあるんです。つまり，まず興味を持ってもらいたい。で，前向きに授業を受けてもらいたいっていうのが一つある。それから，プラトンやってる者がこういう話をするのかって思われるかもしれないんだけれども，自分は古代の話とか全然しなくて，ずっと現代的な話ばっかりしてるんですね，共通科目で。で，特に「世界」っていうものが，物質世界って言っていいのかわからないけど，「世界」っていうものがあって，世界を哲学の視点からこういうふうに見るんですよっていうか。世界のなかに哲学ってのは練りこまれていて，練りこまれている哲学っていうものをこういうふうに見ると見えてくるよね，っていう。そういうような授業をしてるっていう感じですね。

三浦　なるほど。曽我さんはどうですか？

曽我　私の場合は，まあ成功してるかどうかは難しいところですけど，学生に最初に言うのは，「今から答えのないことをやります」っていうふうに宣言してしまいます。そして，きっとあなたがたは高校までは○×のつくような勉強をずっとしてきたと思うけど，これからはそういうはっきりした○×のつかない授業をやると言います。では，

どう評価するかというと，それはきちんと論証されているかどうかを見ます，という話をします。じゃあその思想の部分はいったいどんなことをやるのかといわれたときに，今まであなたがたが常識と思って生きてきた部分を覆すと思う，と答えます。あともう一つ言うのは，これから社会に出て生きていくわけだけれども，実は答えのない問題にぶつかることの方が人生では多いんだっていう話をします。そのときに何が自分にとっての力になるかということを考えたときに，「こういう問いにはこういう答えだ」っていう一対一の問いと答えではなくて，この問題をどういうふうに見たらいいんだろうとか，他にどのような視点の取り方があるんだろうとか，問題をどう整理したらいいんだろうという方が，あなたがたの味方になってくれる力だよという話をします。もしかすると，なんかつまんないことを，ああでもない，こうでもないと言ってるように見えるかもしれないし，今すぐ，明日から役立つ知識みたいなものは無いかもしれないけれども，いつか，あなたがたのなかで芽吹く力になることを信じて私は授業をします，ってそんな宣言をします。

三浦 見得を最初から切るわけですね。

曽我 そう，最初にパッと見得を切るっていうことをしてますね。

三浦 なるほど。吉田さんはどうですか？

吉田 僕は，松井さんと曽我さんが，世界の見方とかっておっしゃったのは共通で。やっぱり，こうも見えるし，こうも見えるっていう，そういうのを学生に伝えたいなって思っていまして。ただその分，しっかり論証するとか，哲学史的な知識ってのはかなり犠牲にしてるように思います。特に工学部の学生とか，情報学部でもけっこうアルゴリズムとかね，そういう勉強をしている人が多いので，けっこうデジタルなところがあって。だから言葉にこだわってやるってのを一つ気をつけていて。たとえば「存在」って言うけれども，いろんな存在がありうるじゃないかとか。潜在的であったりとか，可能的であったりとか。未来，過去，いろんな存在があるじゃないかっていうふうに，一つの言葉には一応こだわって，この存在という言葉を，こうも見れるし，こうっていう二つの見方ができるんだというのを伝えると。次は「意味」について，とか，「私」っていうけど，いろんな意味の「私」があるんじゃないかとか，そこにかなりデジタルで，しかも特化した議論だけをやっているので，全面的に哲学を教えているというよりは，哲学的な見方があるんだというのを伝えると。ただ，なかなか抽象的にやっても学生は

ついてこないことがあって。最初はテキストをできるだけ読ませたいと思っていて，テキストを毎週紹介してたんだけど，やっぱり学生がダウンしてしまって，150人くらいいるうちのほんの5人，10人くらいですかね，ちょっと面白がってくれたと思って。あとはやっぱりきつかったみたいで。それでちょっと諦めて。まあ，テキストは「こういうのがあるよ」ってちょっと紹介する程度にして，言葉があって，その概念を，物語とか，けっこうアニメとかを見せたりして。たとえばどこでもドアを通ってどこでもドアから出てきたドラえもんは元のドラえもんと同一か，とか。つまり時空間を急に越えてるからね，同一じゃないとか，場合によっては，「コピーされて二人になったらどうする？」みたいな感じの例題をあげたりしながら，実感をわかせながら概念を捉え直すように。

曽我 それは私もやります。

吉田 けっこう苦労のしどころだと思うんですよけど，わりとそんな感じです。

曽我 SFチックなクイズだと，哲学と思わずに，考えさせるというか引き込まれるようなところがあって，それを最終的に哲学と接続するみたいな。

吉田 実感がね，伴わないとダメだと思うので，それをアニメとかでやると擬似的なものだから，擬似的な実感でよいのかってのはよく考えるんですけど。でも，けっこうアニメってのは今年と去年は『蟲師』っていう映画，アニメがあって，それがなかなかいろいろなちょっと不思議なシチュエーションがたくさん出てきて。たとえば，沼の中から急に人間が出てくるとか，そういうのって哲学でもスワンプマンって言葉で，こうやって沼に入ってね，突然別の人間が出てくるっていう思考実験もするんだけど，それをけっこう脚色しながら描いていて。意外と学生にイメージしてもらうにはいいので。そんな感じでアニメとかも使いながら考えております。

学生に哲学をしているところを見せる

三浦 ということで，3人のお話を聞きながら，僕自身はそんなに親切な哲学教師ではなくて，今自分が考えている問題をそのまま扱うようにしています。だから，ある意味たぶん（専門課程での）特殊講義みたいな感じだと思うんですけど。だから，哲学史は全然やらないんですよ。今自分が，それこそ論文で書いているテーマを，つまり勉強しているものをそのまま出すっていうようなことをしています。そうすることで，こっちが教壇の上であ あでもない，こうでもないって考えてる姿

を見てもらいたいっていうのがあるので。それは自分にとって原体験があって，僕，学部は関西学院大学だったんですけど，当時の哲学科の何人かの先生って，毎年同じ講義ノートなんですね。で，講義に出ながら，「この人たちは偉い先生なのかもしれないけど，もう哲学してないな」と思ったんですよ。で，大学院への進学を考えてるときに，阪大で鷲田清一先生の講義に潜ったら，そのとき他者論の授業をされてたんだけど，「この人は哲学してる！」と思ったんですよ。その場で呻吟しながら言葉を紡いでるっていうのが，それこそ自分にとっては目から鱗で。そういう影響からか，今の職場に勤める前から，非常勤もずっと僕は教養の哲学科目の担当でしたけど，自分が今考えている問題をそのまま出すっていうスタイルでやってますね。

吉田 いやあ，そういう授業が一番楽しかったですね，私が学生のとき。たしかにそういう先生もいらして，で，早いときは30分くらいで，もう話すことなくなったから終わりますみたいな（笑）。これはひでえなって思ったけど，でもそれだけ一生懸命やってる姿を見て，それが一番ほんとは見て刺激になりましたね。そういう授業は素晴らしいですね。

三浦 だからそれはね，米山さんとか，戸田山さんとか，やっぱり人に感染するっていうか，それはもう，哲学のはじめのプラトンからしてそうですよね。ソクラテスに感染しちゃったわけなので。だからそういう意味で，いかにして感染を引き起こすかってのが，大事かなって思うので。

松井 僕のプラトンの師匠の金山弥平さんが前に言ってたんですけど，概論の授業とかは，今日は何の話をしようかなって思いながら教室に行くっていうのが，哲学の教員の理想的な姿だという話を聞いたことがあって。僕も，戸田山さんの『哲学入門』を教科書にしながらも，一応ざっと目は通しておくんだけど，今日はこれをどうやって説明しようかなって考えながら教室に行ったりとか，まあ最近は仕事が山ほどあるので，とりあえず見といて，とりあえず授業が始まってから考えようって思って教室に入っていくこともあるんですけど。それがなんかその……

三浦 そうそうそう，即興っていうか。

松井 即興，そうですね。なんていうかこう，音楽だったら，与えられた楽譜をそのまま演奏するんじゃなくて，とりあえずコード進行があったりとか，この曲をこのコード進行でやりますって言って，ジャズミュージシャンがアドリブでインプロヴィゼーションで演奏するような，そういう

のは僕もやってはいるかな。

吉田 一つにはそれはライブって意味ですよね。で，もう一つはなんかその，当事者っていうんですかね，哲学っていうのがあって，それを外から解決するのか，中に入ってるかっていう違いはけっこう大きいような気はします。まあ，ただ哲学史をほんとただ知識として教えると，完全に外から教えるということになりますよね。それを中から，しかも学生だけ，アニメを見せて，こういうのもあるでしょってやるときはわりと学生だけ中に放り込んで，自分は外から見ているようなところもね，たしかにあって。それはね，やっぱ楽なんですよ，たぶん。自分も中に入ると，難しい。自分もつらいし，なかなかそれできないですね。

三浦 いえいえ，うまくいってるかどうかはわからないですよ。

松井 でも，ありますよ僕も。この前，倫理学の授業だったかな。人間の尊厳みたいな話をしてたんですよね。人間の尊厳がって言ったときに，あ，そういえばピコ・デラ・ミランドラって倫理の教科書とかに出てたじゃん，あの人って人間の尊厳とかって言ってるけど，こういうふうな意味じゃんねって。あれ dignitas じゃんラテン語でって。あれってさ，元々の意味ってさ，優秀さって意味じゃんねーとかって話になってって。優秀さっていうとギリシャだよねっていって，そこで授業が止まるんですよ。そこでブワーッてメモ書きとかしてて，しばらくしたらハッと気づいて。「あー，ごめんなさいね。自分でメモ書きしてました」とかって言ったり（笑）。授業止まるっていう。で，僕があーあーとかって考えながら，紙にメモをとってるところを，学生たちが無言で見てたんですよね。でも，これもアリかなって気がするんですよ。「あの先生何やってんだ」っていう。

三浦 そうそう。夢中でやってる姿を見せたいですよね。

松井 「こんなことに夢中になるってどういうことですか」ですよね。

曽我 授業のアンケートではよく書かれます。「とにかく先生が楽しそうに喋ってた」って（笑）。「内容は難しかったですけど」とか。

吉田 たしかに。けっこう哲学は，やっぱり単に知識を教えるわけじゃないから，外からやってるつもりでも入りこんじゃうのはありますね。のめりこんじゃうっていうかね。そうすると答えが出せなくなったりしてね，自分で。スワンプマンが自分の恋人だったらどうするみたいに学生に聞いといて，自分が答えられなくて止まっちゃうってのはたしかにありますね。これは哲学ならではか

もしれないですね。

なぜ哲学を学ぶのか

三浦 そうですね，だからこうね，何かを追い求めてるし，希求するってのが元々フィロソフィーの意味なので，そういう意味でもやっぱり教壇に立ってる人間が恋焦がれているっていうか，そういうのが大事だなって思うんですけど。で，以上を踏まえたうえで，「なぜ哲学を学ぶのか」っていうことなんですけど。どうですか？

吉田 たとえば工学部の学生らは，「答えのないような問題は嫌だ，そういうの大学でやられちゃ困る」とかね，そういうふうに言う人がいますね。それに対してどう答えていくのかっていうのは，われわれの義務というか，それが一つ哲学をなぜ学ぶかっていう答えになると思うんですけど。

三浦 ある意味，そういう人の思考の枠組みを破壊，破壊は大袈裟かもしれないけど，ちょっと揺さぶりたいですよね，なんかね。そういった人々の……

吉田 僕としては，それで面白いのかっていうのが一つありますね。面白いっていう言い方はちょっと不謹慎かもしれないけれど，本当に答えのある問題ばかりやってて，学問って面白いの？っていう。僕はけっこう，逆に問うっていうのかな。わからない，それが面白いんじゃないのっていうふうに思うので。答えが決まってることを，教科書から学ぶというか，教科書じゃないけど真理が眠ってるのを明らかにした，発見したと。それでおしまいっていうんじゃなくて，答えがわかんないけども自分だったらこうするっていう。ある意味哲学って，選ぶっていう意味合いがあると思うんですよね。答えが，これもありうる，これもありうる，これもありうるっていう。こうかもしれない，だけどコレが面白いと思うとかっていう。そういう選ぶ学問ってのはすごく面白いというか，価値があるような気がしますね，僕は。

曽我 私はその面白さってやっぱり大事だと思うんですよ。これはあまり言っていいのかわからないけれども，そういう答えがないものって，論証とか証明とかしようとしても，最終的に，どうとでもとりうるというか，どっちでもありうるというか，まあ好みでしかないというところに行き着く場合もあるのでは，と個人的には思っています。もしかすると究極的にはどの哲学者好き？とか，好みとか，この人の考え方が自分に合ってるとか，そういうようなレベルかもしれないって思うときもあります。面白さとか，好みとか，わくわくす

るとか，とても直感的なレベルなんだけど，そういう部分に突き動かされて，ほかの科目で答えのあること，あるいは白黒はっきりすることをやってたとしても，そうじゃない領域があってもいいんじゃない？　と。私が授業で言うのは，この半期の，週一コマの90分だけでいいから，哲学してみようって言うんですよ。ああでもない，こうでもない，っていうことを，考えてみようよって言うんですよね。この時間だけでいいから。

三浦 ある意味，非日常を体験するって感じですかね。

曽我 そうですね。あなたがたは普段通りにしてもいいけど，この時間だけはありえない設定で考えてみようとか，今だけ普段の自分を超えたところ，なんというか自分の枠組みとは違うあり方で考えてみたりとか，ものを見てみたりとかっていうことをやってみない？　と，そういう誘いかけをします。それによって楽になることもあるかもしれない。この自分の生きてる世界が，この限定だけじゃないとか，白黒はっきりだけじゃないとか，みんな面白さとか，好きとかの世界を大事にして，そこの世界で生きてる人がいて。そういう哲学をやってる人がいてっていうのを垣間見るだけでも，いいんじゃない？　っていうそういう感じですかね。

世界をきちんと見て，語る

三浦 松井さんはどうですか？

松井 そうですね，まあ一言で言えば，世界の見え方っていうか，解像度を上げるっていう感じですよね。つまり，昔のテレビは画質が悪かったけど，地上デジタルになって画質が良くなって，ああ，その前にハイビジョンがあったかな，で，4Kってなってくるじゃないですか。そういう感じで，たぶん哲学をやったことのある人とか，哲学の洗礼を受けたことがあるって言った方がいいのかもしれないけれど，実際に哲学のような仕方で考えたことのある人とない人で世界の見え方が違うんじゃないかなって思ってて。だから，なぜ哲学を学ぶかっていうと，多分世界をきちんと見れる，つまり高い解像度で見れるようにするためっていうのがまず一つ。で，もう一つがあって，僕らは，何かを語るってすごく楽しいことだと思うんですよね。僕だけかもしれない，そんなことないかな。あ，皆さん楽しいですよね，何かを語ることが楽しいですよね？　語ることの楽しさっていうのを感じてほしいっていうのがあるんですね。で，やっぱり，自由に何かを語ってくださいって

いう課題とかテストとか，多少は出すわけですね。そういうところに，何かバリバリバリバリ書いてもらえると嬉しいってのもあるんですけど。

三浦　今語るって言ったけど，それは書くこととイコールと考えていいわけですか？

松井　いや，イコールではない。だから「語る」のなかに「書く」っていうのがちょっと入ってるのかな。それとも重なってるのかなみたいな感じなんですけど。実は今の大学に来てからちょっと衝撃的なことがあって，学食で，学生たちがみんなでいて。僕らが学生の頃ってたぶん，ひたすら喋ってたと思うんですよ。みんなで喋ろうぜ，なんか面白い話あったら喋ろうぜとか，好きなミュージシャンがとか，最近こんな音楽，ミュージシャンとかバンド知ったんだけどとかって，それについて語ってたと思うんですよねいろいろと。たとえば Mr.Children ってのが出て，こんなのがいるんだぜとか，音楽をいろいろ聴いてたりして，語ったりとかするんですよね。で，今 YouTube があるんですよ。そしてスマホがあるじゃないですか。そうすると，じゃあみんなでこれ見ようぜって，語らずに一緒に学生たちが YouTube を観てるのを見て，目ん玉飛び出そうになったんですよ。あ，語ってないじゃん！とかって思って。僕とかここにいるみなさんの世代だと，好きなものについてひたすら語ってたと思うんですよ，友達と。好きなものに対して語ってたはずのものが，語らなくても伝えられるようなツールができてしまったから，今の若い人たちは語らなくなったと思うんですよ。どうもそんな気がする。だから，だんだん語らなくなったから，語れるようになってほしいとか，語る楽しみとか語る喜びを感じてほしいっていうのはありますね。

三浦　そういうのを取り戻すうえで，哲学がとてもいいと。

松井　とてもいいと思う。まあ，もしかしたら哲学じゃなくてもいいのかもしれないんですけれども，それを語るうえでおそらく，解釈ってのが入ってくると思うんですね。その解釈っていうのが，語る対象を適切にというかちゃんと見て，ちゃんと理解してちゃんと語るというのが哲学だと思うんですよね。ほかの学問って，やっぱり哲学の影響があったりすると思うんです。これから喋ることを社会学者の人たちが読んだら怒られるかもしれないけど，社会学の人たちがやってるのも，哲学を応用してたり，哲学の亜流だったりしてる可能性があるんですよ。で，それに比べれば哲学ってやっぱり学問の保守本流なので，どうせやるなら学問の保守本流をやって，哲学にチャレンジし

て，チャレンジした成果を今度は自分の好きなものを語るところで活かしてほしいなと，そういうふうに思いますね。その二つかなと思います。

世界と自分

三浦　なるほど。で，最後に僕が言わなきゃいけないんですけど，うーん，難しいな。自分から振っておいて，自分で答えるのは難しいんだけれども，僕はいま心理学科に所属してるんですが，松井さんがいま保守本流と言ったけど，やっぱり大元はね，哲学だと思うので。

ただね，この哲学が一番古いんだと思ってたところ，去年京大総長の山極寿一さんって，あのゴリラを研究してる人。彼を招いたうちの大学の公開フォーラムがあって，彼にコメントする必要から，事前に山極さんの本をいろいろ読んだんですけど，「うわっ」って思ったのは，さっきの3億年よりかは短いですけど，霊長類学者は，今から700万年前ぐらいから人類と枝分かれしていったゴリラやチンパンジー，ボノボを研究することによって，そこの視点から，今の私たち人類を捉えなおしてるんだって書かれてたときに，哲学の，たかが2,3000年ってのが，すごくちっぽけに思えて。ちょっとこれは参ったなって思ったのがあるんですよね。だからそういう意味でいうと，哲学のスケールも相対化できると思うんですけど。

とはいえやっぱり，これはよく学生にも言うんですけど，哲学の最初の授業で。なんか知らないけど，この世界に勝手に投げ込まれちゃって，それぞれ「自分」っていうものがあって，で，しかもそれは物心ついたときにあと100年，せいぜい長生きしたとしても100年ほどの限られた命なんだと。で，途中でいろいろとアクシデントもあったりして，そこまで全員が生き延びるわけでもない。だからそういう，なぜか知らないけどこの世界に自分が誕生してて，終わりのある生を生きなきゃいけない，生きなくちゃならないっていうことに気づいたときに，やっぱり哲学っていうのは，僕はそこが肝なんだろうなって思うんですよね。そういう，今の自分が生きていてこの社会がある，この世界があるということを自覚できれば，僕はもうそれで十分じゃないかというふうに思ってるんですよ。だから，改めてこの世界とかこの自分が存在しているっていうことの奇跡性，子どものときにみんな一度はそういうのを考えてたと思うんですけど，いろいろな理由でそういう子ども心の哲学的な感度というかセンスといったものが，いつのまにか小・中・高と，試験とか受験勉強と

かによって眠らされているので，そういう子ども心を社会に出る前にもう一回再点火するために僕は哲学を学ぶというか，哲学に触れてほしいですよね。学ぶっていうとなんかお勉強みたいな感じなので，そういうのではなくて哲学っていう営みがあるんだ，哲学的な問いってのがあるんだっていうことに触れてほしいっていうのが僕にとっての願いですね。

なぜ文章の作成を学ぶのか

三浦　……というので，やっと一つ目の「なぜ哲学を学ぶのか」が終わったんですが（笑），ではそのまま二つ目の，今度は「なぜきちんとした文章を作成する必要があるのか」ということについて。最初のとっかかりになるのは曽我さんかなと思うんですけど，そういう論述のことをおっしゃったじゃないですか，さっき。

曽我　そうですね，大きなきっかけだったのが，フランスの大学に留学したことです，正直日本で，高校でも大学でも，自分自身は文章作成とか作文技術とかっていう授業を受けたことがなくて。私の後の世代だと思うんですけど，大学でレポートや論文の書き方をきちんとやらないといけないとか，そういう本が出始めたということがありました。

三浦　受験には「小論文」がいちおうあるとはいえ。

曽我　そうですね。かろうじて小論文があってっていうような。まあ私の記憶ではそうなんですけれども。そういう状況で，見よう見まねでレポートや卒論なりを書いて，修論まで書いたんです。で，フランスに留学したときに衝撃を受けるんですけれど，要は私はフランスの文章作成のコードに全然則ってない文章を書くわけですね。全然なってないと友人に言われるわけですよ。フランス語のチェックをしてもらおうと思ったのに，「あなた，こんなレポートじゃだめだよ」とダメ出しをされるわけです。キョトンとする私に対して，こんなものは常識だけど，高校でこういうふうに習わないの？と言われたというのが最初のカルチャーショックだったわけです。その後いろいろ私も学んで，フランス式の論述の方法を聞きつつ，でもそれがすべてじゃないってこともわかっていくんですけれども，でも，そのフランス式の論述を批判するためにはきちんとそれを体得し，マスターしたうえで批判しないと聞いてくれないってこともよくわかりました。ぐちゃぐちゃのままでは向こうは聞く耳を持ってくれないということも

よくわかって。自分の考えを伝えるっていうのに様式があって，やっぱりその様式を学ぶ必要があるんだっていうことですね。何を書くのかという内容のことをずっと自分はやってきたんだけれども，それだけで終わっては聞いてくれない人がいるんだってことがよくわかりました。それで，せっかく言いたいこととか伝えたいことがあるんだったら，それを聞いてくれる人が多い方がいいですよね。きちんとした形で文章を出して，それを受けとめてくれる，「あ，こういう様式であなたは書いたんですね」とか，「あ，説得力がある仕方で書いてくれたんですね」というふうに相手が受けとめてくれた方がいいんじゃないかというふうに思いまして。それで，文章作成というのは大事だなということを改めて身をもって知ったのが最初の留学のときです。

三浦　あるマナーみたいな感じということですか？

曽我　そうですね。もう，マナーとかルールとか，そういう感じ。要はこのマナー，ルールの範疇に入ってないとはじかれてしまう。もちろん詩であったりとか，もしかするとウィトゲンシュタイン的な文章とか，ああいうのは天才だから，天才とか芸術とかはまた別なんですけれども，そうじゃないレベルでの話には，リスペクトすべきルールだったりマナーがあるんだっていうことです。せっかくだから，それを知っておいて，聞く人が増えるんだったらみんなも知っておいたほうがいいんじゃないの？というのがきっかけです。

　ただもちろん，フランス式がすべてじゃない。日本は日本なりの書き方とか，日本人なりの問いの立て方とか，結論の書き方とか，共有しているマナーがあって，業界やコミュニティによってマナーとかルールが違うところがあると思うんですよね。たとえば，レポートの最初に問いと答えを書けって言われる場合もあったりとか。最初に答えを明らかにして，なぜならばを書くとか，あるいはフランス式に，まず問いを出して，論証したうえで結論で答えを書くとか。日本だと，松井くんが書いてくれたみたいに，最後のところで，自分に積み残されてる問題に触れて，「今後の課題にします」というのがよくある……

松井　余韻を残す，みたいな。

曽我　そうそう。で，なんか広がって，開けて，いい感じがしますよね。そういう別の問題意識もあるよって示せるし。でもフランスだとそれやったら「じゃあ今それをやりなさいよ！」と言われて（笑），それは閉じないとダメだと。いろいろなやり方があるけど，一つのマナーを知っておくと，

マナーとは何か文章作成のメタの部分がわかって，他のメタのあり方も見えてくるかもしれないな，っていうのが私のなかにはあります。

吉田 そのマナーっていうのは，文章だけじゃなくて喋る言葉，話す議論とか会話にもやっぱりそういう……

曽我 ああ，そうですね。議論とか，それこそ，身体化されて癖になってる部分みたいなのがあるんじゃないかというふうに感じます。フランス人が雑談している中に入っていくと，必ず，何か一つの意見で「そうだよね」と賛成が集中するというより，誰か必ず「いや，でもさ」と反対する人がいる（笑）。「わざとやってんの？」と思えるほどバランスを取る人がいて。

吉田 国際社会でもそうですよね，フランスの。

曽我 でもこれだって，本当にその人がそう思ってるのか，単にバランスを取ろうと思ってるのか，ちょっとよくわからないんです。あるいはわーっと一つの方向に行くことに対する警戒心があるのかもしれません。そういうところはとても大きな違いだと思います。

三浦 同調しようとする日本人と大違いですね。

曽我 大違いですよね。

三浦 なるほどね。あえてそれとは違う意見を出す，そのことによって……

曽我 多分，その価値もあるし，議論の深まりであったりとか，豊かさっていうことを，それによって担保しようというかね。そういうところもあるのかもしれない。で，彼らが意識的なのか無意識なのかは，ちょっとわからない。

三浦 それこそやっぱりそういう教育を受けてるんでしょうね，伝統的にというか。

曽我 だと思います。

本物の哲学者は悪文を書く？

三浦 で，そういう曽我さんの目から見ると，やっぱりデカルトはきちんとした文章を書いてるっていう気がしますか？

曽我 デカルトの文章ですか？ 今パッと言われて，うーん……作品によるような気はするんですけど……

三浦 『方法序説』はやっぱりきちんと……

曽我 『方法序説』は読者を意識した文章な気がしますね，でも，書簡を読むと，ものすごく，しつこい（笑）。すごく執拗に反論していて，だいぶ感情に任せてる部分があったりします。

三浦 いまなぜそういうことを訊いたかっていうと，僕はこの二つ目の「なぜきちんとした文章を作成するか」って難しくて。というのも，僕が好きになった哲学者，レヴィナスとかアーレントって，ことごとく悪文を書く人なので（笑）。決して彼・彼女たちはきちんとした文章を書いているわけじゃないんだけど，やっぱ読んでてすごいって思うので。もちろん，僕も学生らの文章を読むときには，簡単な接続詞の使い方とか，文末を時々疑問文にしてみた方がいいとか，学生ってけっこう「〜である」「〜である」みたいに……

曽我 ああ，一本調子な。

三浦 そういう感じなので，語尾を変えるとか，改行したら，きちんと「それゆえ」とかにしたら，とか，「なぜなら」とか，「では」とか，そういう形で場面を展開するとか，そのレベルではレポート，卒論を学生が書いたりしているときとか，自分でもチェックはしてるんですけど。

曽我 あ，そっか，でもそれを言われたら，哲学者はそんなレポートのような文章は書いてないといえばその通りだなという気がしますね。

三浦 ただ，今の英米圏でね，分析哲学でよくアーギュメントっていうじゃないですか。僕，あれもなんか苦手で。

吉田 もうね，アブストラクトがあってもね，それとほとんど同じようなものを本文にもう一回書いているという。英米圏はそんな感じですね。

曽我 言われてみるとそうですね。

三浦 それでやっぱり，哲学のよさを……

曽我 消しちゃうというか。

三浦 うん，それもあるのかなって思って。僕は学生にやっぱり，最後にレポート課題を出すときに，顔が見える文章を書けと。哲学って，僕の場合教養科目だから，もうこれで最後なんだから，タイトルもちゃんと自分で考えなさいと。参考文献は，いちおう自分の考えを相対化するために入れてほしいけど，あまりそんな引用とかくどくどとする必要はないので，自分の書きたいことを，ストッパーを外すじゃないですけど，もちろんある程度，何でもいいってわけじゃなくて，きちんとテーマを設定したうえで2000字程度のレポートを課すんですけど，書きたいことを書いてくれと。それを，さっきのマナーに重なるのかもしれないけど，やっぱり自分の書きたいことを伝えようと思ったら，そこには工夫が必要で，さっきも言ったように接続詞とか，同じテンポの文章だったら読むのが辛いから，ちょっと抑揚をつけるとか，そういうテクニックのようなものは学生に言うんですけど，たぶんそれっていうのは，フランスのディセルタシオンのそこまできちっとしたものではないと思うので。そこはだから，哲学テキ

ストを作っていながら（笑），矛盾ではあるんですけどね。

「文章化する力」と哲学

松井 たとえば，この教科書が出る頃にはもう，流行遅れなのかもしれないけど，「忖度」っていう言葉があるじゃないですか。今年すごい話題になったけれども，たぶん日本っていう狭い中では，われわれは言わなくてもわかるでしょ，みたいなのは，日常のレベルにもありますよね。ただ，自分が最初に国際関係学部に所属したからかもしれないんですけど，あるいは海外の哲学をやってるからかもしれないんですけど，異文化的なというか，忖度の通じないものの方が世の中，社会の方が多かったりとか，忖度の通じない領域の方が多いじゃないですか。これから，外国人も日本のなかにどんどん入ってくるかもしれない。まあ現に入ってきていて，で，われわれも出て行くかもしれないんですよね。そのとき，忖度ってやつが絶対通じなくて，そうしたときに，きちんと文章を作成しないといけない。つまり仮に書類だとしたら，たぶんわれわれが哲学を教えて社会に出ていく学生たちは，社会に出て働くんだけれども，そのときにおそらく書類は絶対作らないといけないことになるでしょ。海外を相手に仕事してる企業に就職する学生も少なくないでしょう。そうしたら，たぶん忖度が通用しなかったら，あらゆる可能性を考慮したうえで，しっかりとガードを固めたちゃんとした書類を作らないといけない。そういうときにたぶん必要になってくるのが，多角的に検討ができる哲学の能力と，そしてその哲学をベースに文章として形にするスキルなんじゃないかなっていうのはあるんですよね。だからなぜきちんとした文章を作成する必要があるのかっていうと，たぶんぶっちゃけて言うと生きていくためなんじゃないか。生きていくなかで失敗しないためにそういう必要があるんじゃないかな。そんな気はしますね。

三浦 そうだし，それは時代の趨勢として，ますますその力は必要とされていくだろうと。

松井 そうですね。で，また，なぜここまで哲学というものがいつの時代も瀕死の状態ながらも重視されてるかっていうと，おそらく，哲学の始まりは，タレスだっていうふうに言われて，哲学に論証が入っていった頃は数学の発展とシンクロしてる部分があって。そのギリシャ数学の発展っていうのはつまり論証なんですよね。だから，やっぱり論証なんだろうな。それが発展していってそ

れが花開いていったっていうことは，当時から論証するっていうことが，そしてそれを示すということが重要だった。それはたぶん普遍的なものなのかもしれない，そういう感じがするんですね。

吉田 僕もなんかこう，文章化するのが，哲学にかなり固有の面もあるっていうのはけっこうそうだなと思いまして。たとえば，哲学が扱うテーマってけっこう危険なっていうのかな，危ないテーマが多いと思うんですよ。たとえば，生きているとはどういうことか，とか，何故人を殺してはいけないのか，とか。で，学生のレポートを読んでいると，非常に危険な，つまり，ただ自分の感情をわーっと書き連ねただけのようなものもあったりして。そしてわれわれが実際に生きている中でそういうふうに考えてしまいがちだと思うんですよね。で，哲学はそういう危ない問題に関わっているからこそ，文章化することで，他の人にも読んでもらえるし，他の人から「ここおかしいんじゃないの」って突っ込んでもらえるわけですね。それで少し客観化することもできるし。だからそういう意味では哲学をやっていくうえではそうだし，まあ生きていくうえでもそうかもしれないけど，特に哲学をやるうえでは，正しい文章を書こうとすると。その中で批判を吟味することが，自分を守ることになると。まあ人生においても同じ結論かもしれないんだけれどもね。そういう意味では文章化というのは哲学にとって必然的で，哲学をやってる人は一番気をつけなければいけないし，多分世の中で哲学をやってる人が一番気をつけているはず，というか。だけどなぜか哲学者でも突っ走っちゃう人も結構いるんですけど（笑）。ただ哲学者はそれなりに痛い目にもあっていたりとか，相当なリスクを背負って，まさに当事者として。で，哲学を学ぶときに常にむき出しのままで危険を追い続けるんじゃなくて，まずはある程度身を守るすべを身につけながら哲学に触れていくからこそ，長い人生の中でずっと哲学に触れていくこともできるし，自分自身に哲学的な問題の絡むようなことが降ってきたときに引き受けることもできるんじゃないかな，と思うんですよね。

まずはフォーマットを学ぼう

三浦 で，ちょっと突っ込むと，その場合は文章化っていうのは論文，レポート的な文体で書くことと……。どうです？ たとえばウィトゲンシュタインだと断章形式じゃないですか。パスカルも。で，プラトンは対話篇じゃないですか。そういうのからすると，文章化はもっと幅の広いやり方が

あっても良い，と皆さんお思いですか？

松井 なぜレポートを対話篇で書いてはいけないのか，ということですね。書けるなら書いていいと思います。ただ，テクニックが要る。あれは，論文を書くよりもテクニックが要るし，やはりプラトンは文章がうまいので，ああいうふうには普通は書けないですよね。文章のスキルっていうのが，たとえば少年野球からプロ野球，メジャーリーガーまで，というふうに例えるとしたら，おそらくプラトンは歴史に名を残すメジャーリーガーだと思います。ハンク・アーロンとかベーブ・ルースみたいな。われわれはどれくらいかはわからないけど，まあ一応日本のプロ野球選手くらいかもしれないな，と思います。日本国内の大学にいるわけですから。そうすると，じゃあ学生たちはどうなんだ，っていうと，哲学を学び始めたわけですから，少年野球で野球を始めたくらいの野球少年なんですよね。そうすると野球少年にいきなり160キロのボールがバーンと来たやつを，カーンとホームラン打ってくれっていうとちょっと無理があるので，まずはキャッチボールの仕方とバットの振り方，サッカーに例えれば，インサイドキックとかインステップキックとかはこういうふうですよ，って教えることですよね。香川真司とか岡崎慎司とかクリスティアーノ・ロナウドとかのプレーをいきなりしなさい，とはサッカーを始めたばかりの子どもには言わないので。やはりまずは，きっちりとキャッチボールができる，きっちりとバットが振れる，きっちりとインサイドキック，インステップキックができるっていうのが重要だから。

　まあプラトンの生まれ変わりのような対話篇がめちゃくちゃうまい学生がいて，「おお松井先生」「それはいったいどういうことなんだい？　君よ。」「はい，私はこう思うのですよ，松井先生」とかって書いてもいいんですけど書けないので，ちゃんとルールに従ってくださいね，っていうのはあります。ある程度，お約束に従って書いてもらうっていうことですね。あと，社会に出て対話篇はやっぱり書類を書くときに「おお，御社よ」とは書けないので，そしたらやっぱり，ちゃんとした文章を書いてね，ってなる。社会に出て使える部分っていうのはそういうところなので，ふざけちゃダメよっていうのはありますね。

曽我 私は昔，三浦さん派だったんです。まさにその顔の見える文章が……，どんな文体でもいいからコピーするな，あなたの考えを知りたい，とやっていたんですね。けっこう面白いことを書く学生，話し言葉だけど，なかなか面白い発想をす

るなあという学生がいて，リアクションペーパーのやりとりの中では，「これはなかなか面白いね」と授業の中で取り上げてやっていました。ところが最近の学生の書く文章を見ると，たとえば敬体と常体の入り混じったものがある。まあプロがやればそういうスタイルもありなんですけど，彼らがやっているのはそういうレベルの話ではなくて，何も考えずに，あるいはもしかするとそういうルールすら知らずに書いているっていうのがだんだんわかってきて，方向転換をしなくては，と思ったんです。おそらく，きちんと文章を書ける学生に「顔の見える文章を書いて下さい」と言えば，面白いものが出てくると思うし，たとえばこちらが想定していないようなスタイルやレベルで応えてくるような学生もいるでしょう，でも今やるべきはそこじゃないな，というふうに転換しました。とにかく守るべきルールがあるってことをわかってくれということと，それに則って書くと，こんな見違えるように良くなるんだよ，っていうことを教えたいというところに変わりましたね（笑）。

松井 また喩え話をするんですが，料理に例えると，材料がここにあります，それでオリジナル料理を作って下さいっていうのはまあまず無いんですけど，カレーを作って下さい，まず材料を集めて下さいって言うと，いきなりスパイスを混ぜだす学生がいるかもしれないんだけど，さすがにそれはちょっとやめて下さい，ってことですかね。たぶん，われわれが求めてる，あるいは社会が求めてる文章っていうのは，カレーライスに例えると，まずは市販のルーを使って人間が食べれるカレーを作って下さい，みたいな感じで，インド人が作ったお店に出せる本場のカレーを求めてないんじゃないかな。だからたぶんわれわれが教える文章も，本当はスパイスを集めて買ってきてそれをこねて，ナンを焼いて，インドの本場のカレー，って作れたらいいけど……たぶんそうじゃないんじゃないかなっていう気はしますね。われわれもたぶん，何かそういう社会が求めてるものっていうのが，そういうものじゃなくこういうものだ，っていうのをなんとなく感じていて，その影響もあって，市販のルーを使って下さい，変なものを入れないで下さい，とかいうのはあるのかもしれないなと思いますよね。隠し味は使ってもいいけど，砂糖と塩を間違えるな，とか。

吉田 松井さんの言った，教えられる，ってけっこうあるような気がしますね。たとえば，ウィトゲンシュタインとかパスカルみたいな人が書く文章はすごく面白いし，思想はすごく多様で，可能性もあるのでどんな表現があってもいいと思うし，

むしろそういう表現の方が僕は好きなので，そういう哲学者を選んできたわけだけれども，大学で教えられるか，っていうのが問題なんで，思想としてはいろんなパターンがあっても，大学で教えられるもの，あと大学でやってる思想への関わりっていうのは，思想を他の人にわかりやすい形で表現して，他の人にも議論をしてもらったり批判を受けたりあるいは批判していくっていう，ある意味共同で哲学に向かうやり方だけだと思うんですよね。一人で哲学に向かうやり方も多分あって，ただそれは我流でいろんなやり方があるし，それが哲学の面白さと多様性だけど，大学でできる哲学を教えるっていうことは，たぶん，文章として共有できる形にして，議論することだと思うんですよね。そういう意味では，ちょっとつまらないかもしれないけれど，フォーマットに従った文章を書くっていうのは，まずできるようになった方が，世間でも役に立つかもしれないし，哲学としても必要なことなんじゃないかな，という気がしますね。

三浦 そこで学んだ書き方は，哲学の内部だけでなくて社会に出てからも使える武器になる，と。

吉田 あと，大学の中で哲学を共同でやるときにも役に立つんで。そういう意味では，フォーマットっていうのは馬鹿にできなくて。僕もちょっとフォーマット苦手だし，自分の本の中であえてフォーマットを崩そうとして，英米的なやり方は嫌いなので，はっきり言って（笑）。なんというかこう，話題の最後から別の話題に行って，また別の話題に行って，というチェーンみたいにつながっていく思想の展開もあるんじゃないか，と思って自分の本の中で試みてみたりしてるんですけど。でも学生のレポートでは，フォーマットは大事と伝えてます。

三浦 崩すためにも，まずはフォーマットを身につけなきゃ話にならない，と。

松井 そうですね。たとえば僕の好きな将棋とかですと，最初は加藤一二三 九段の将棋の本で学んだんですけど，あの人神武以来の天才なので，将棋はやっぱりすごいなと思うんですけど，将棋の教則本はきっちりと型を説明してたんですね。矢倉囲いはこうで，美濃囲いはこうで，振り飛車はこうで，ときっちり型を説明してて，だけどプロの棋士は，加藤一二三や羽生，森内，藤井くんとか含めて，棋譜を見てると，すごく崩してて自由度が高い。今の将棋連盟の会長で佐藤康光っていう人がいて，僕は彼のことを本当に天才だと思っていて，どれくらい天才かというと，もう誰にも真似できないくらいの天才で，自由な発想と

自由な着想ですごい手をバンバン出していったり，囲いも「囲いなんて薄くてもイイっすよ」みたいにパーッと進んでいくとか，ものすごい将棋をするんだけど，でも佐藤康光のようなことっていうのは，ある程度の型を知ってないとできない。たぶん，そこまで行くには型を知ってないといけなくて，だからわれわれが教えるのは，最初の美濃囲いとか矢倉囲い，居飛車や棒銀ってこうやるんですよ，とかそういうことなのかなと思います。それを教えてるっていうことですね。

三浦 なかなかいい感じに締まったんじゃないでしょうか（笑）。ではこれで二つ目も終わったということにしておきたいと思うんですが……

一同 （笑）ありがとうございます。面白かったです。

■執筆者紹介（50音順）

曽我千亜紀（そが・ちあき）
1973年生まれ。名古屋大学人間情報学研究科博士前期課程修了。カン大学文学部哲学科D.E.A.課程修了。名古屋大学人間情報学研究科博士後期課程単位取得満期退学。D.E.A.（哲学）（カン大学）。博士（情報科学）（名古屋大学）。大阪産業大学国際学部准教授。哲学専攻。『情報体の哲学——デカルトの心身論と現代の情報社会論』（ナカニシヤ出版，2017年），『よくわかる社会情報学』〔共著〕（ミネルヴァ書房，2015年），ピエール・レヴィ『ポストメディア人類学に向けて——集合的知性』〔共訳〕（水声社，2015年），他。
【担当】 はじめに，このテキストの構成と使い方，バカロレアの仕組み，2「デカルト」，6「知覚」，9「存在と時間」，11「芸術」，バカロレアあれこれ

松井貴英（まつい・たかひで）
1971年生まれ。名古屋大学大学院文学研究科博士後期課程人文学専攻単位取得満期退学。博士（文学）（名古屋大学）。九州国際大学現代ビジネス学部教授。哲学専攻。「プラトンと独り語り——『ティマイオス』を中心に」（『名古屋大学哲学論集 金山弥平先生ご退職記念特別号』2020年），「映画的「劇画」——1956年の辰巳ヨシヒロ」（『九州国際大学国際・経済論集』第3号，2019年），「ろう文化と異文化理解としてのデフ・スタディーズ：哲学的観点から」（『中部哲学会年報』49号，2018年），他。
【担当】 1「プラトン」，8「欲望」，13「歴史」，16「物質と精神」

三浦隆宏（みうら・たかひろ）
1975年生まれ。大阪大学大学院文学研究科博士後期課程単位修得退学。博士（文学）（大阪大学）。椙山女学園大学人間関係学部准教授。倫理学・臨床哲学専攻。『活動の奇跡——アーレント政治理論と哲学カフェ』（法政大学出版局，2020年），『生きる場からの哲学入門』〔共著〕（新泉社，2019年），『グローバル世界と倫理』〔共著〕（ナカニシヤ出版，2008年），他。
【担当】 4「アーレント」，7「他者」，12「労働と技術」，14「理論と経験」，10の著者紹介「ジョン・ロック」

吉田　寛（よしだ・ひろし）
1972年生まれ。京都大学大学院文学研究科博士課程単位取得退学。博士（文学）（京都大学）。静岡大学情報学部教授。哲学・倫理学専攻。『ウィトゲンシュタインの「はしご」——『論考』における「像の理論」と「生の問題」』（ナカニシヤ出版，2009年），『「思い出」をつなぐネットワーク——日本社会情報学会災害情報支援チームの挑戦』〔共編著〕（昭和堂，2014年），『これからのウィトゲンシュタイン——刷新と応用のための14編』〔共著〕（リベルタス出版，2016年），他。
【担当】 3「ウィトゲンシュタイン」，5「主体」，10「言語」，15「解釈」

フランス・バカロレア式
書く！哲学入門

2021年4月14日　初版第1刷発行
2022年4月8日　初版第2刷発行

著　者　曽我千亜紀
　　　　松井貴英
　　　　三浦隆宏
　　　　吉田　寛

発行者　中西　良

発行所　株式会社　ナカニシヤ出版
〒606-8161　京都市左京区一乗寺木ノ本町15
TEL　(075)723-0111
FAX　(075)723-0095
http://www.nakanishiya.co.jp/

©Chiaki SOGA 2021（代表）　　装丁／白沢 正　印刷・製本／亜細亜印刷
イラスト／福井春風
＊落丁本・乱丁本はお取り替え致します。
Printed in Japan. ISBN978-4-7795-1495-1